산부인과 전문의의 심리학 에세이

소통으로 쓰는
성심리학

산부인과 전문의의 심리학 에세이

소통으로 쓰는 성심리학

임 정 란 지음

메디마크

언젠가부터 세상을 먼저 경험한 사람으로서 젊은이들에게 들려주는 이야기책을 쓰고 싶은 소망이 생겼습니다. 그래서 새가 둥지를 지으려고 잔 나뭇가지들을 하나하나 모으듯, 바느질하는 여인이 조각보를 만들기 위해 여러 조각 천을 모으듯 몇 년 전부터 틈틈이 책을 읽거나 강의를 듣고 영화를 보면서 마음에 와 닿는 구절들을 메모하기 시작했습니다. 이 제는 그것들을 한데 엮어보려 합니다.

싱그러운 젊은이들이 서로 사랑하고 몸과 마음으로 따뜻한 관계를 맺어 나가는 것은 참으로 아름답고 보기 좋은 일입니다. 이때만큼 눈부신 시절이 또 있겠습니까. 저는 청춘의 그 아름다운 시절을 창백한 얼굴로 학교-집-도서관을 쳇바퀴 돌 듯하며 보냈습니다. 그런 시절이 있었기에 오늘의 내가 있겠지만, 로버트 프로스트의 '가지 않은 길'에 대한 아쉬움처럼 제가 경험하지 못한 것들에 대한 안타까움이 있습니다.

이제는 어느덧 생의 반환점을 한참 지나온 나이가 되었고, 산부인과 의사로 진료를 해온 지도 수십 년의 세월이 흘렀습니다. 지난 내 삶을 돌아보면 적어도 한 가지는 확실하게 말할 수 있을 것 같습니다. '지금 알고 있는 걸 그때 알았더라면 그때 삶이 훨씬 더 풍요롭고 아름다웠을 텐데…' 하는 것입니다. 제 20대와 30대의 삶을 풍요롭게 만들어주었을 그 이야기를, 지금 20대와 30대를 지나가고 있는 젊은이들에게 들려주고 싶습니다.

젊은이들이 아름답고 멋진 20대와 30대를 맘껏 누리기를 바랍니다. '썸' 단계에서의 두근거림과 가슴 벅참, 손을 잡을 때의 짜릿함, 헤어질 때의 아쉬움과 애틋함, 함께 나란히 길을 걷기만 해도 느껴지는 행복감…. 이런 소소하고 애틋한 연애 과정을 최대한 느껴보길 바랍니다.

그러면서도 책임감 있는 삶을 살기를 바랍니다. '스피드'가 중요한 시대지만 중간 과정을 건너뛰고 너무 빠르게 몸으로 교류하는 관계로 발전해 버리면 중간 과정에서 느낄 수 있는 행복을 모두 흘려보내게 됩니다. 한번 흘러간 시냇물은 되돌아오지 않고, 우리가 다시 유년시절로 돌아갈 수 없듯이 그렇게 흘러가버린 시절의 감정은 다시 돌아오지 않습니다. 아무리 '디지털 시대'라 해도 사랑만은 아날로그 방식으로 했으면 좋겠습니다.

이 책에서는 남녀의 '관계'를 중심으로 이야기하되 '성'에 관한 문제를 함께 다루고자 합니다. 남녀 사이의 관계를 조망하면서 '성'에 대한 관점을 뺀다면 충분치 않을 것이기 때문입니다. '성'에 대한 테마는 우리가 오랫동안 받아온 교육의 영향과 우리 속에 깊숙하게 뿌리내리고 있는 유교적인 문화 때문에 다소 낯설고 조심스러울 것입니다.

남녀의 몸과 마음의 차이는 어떤 것인지, 그 차이를 지혜롭게 극복하려면 어떻게 소통해야 하는지, 그리고 전반적인 삶에 대한 단상을 쓰려고 합니다.

되도록 보편적인 상황을 보여주려고 애쓰겠지만 모든 남자와 모든 여자가 이렇게 다르다는 이야기는 아닙니다. '남자는, 또 여자는 이런 경향이 있을 수 있겠구나' 하는 정도로 받아들이면 좋겠습니다. 더 나아가 이 책은 남녀의 차이가 아니라 '나'를 중심으로 나와 다른 타인과의 원활한 관계를 위한, 즉 소통에 대한 책입니다. 주제마다 그 내용에 부합되는 영화를 소개하기도 했습니다. 제가 평소 영화 보는 것을 좋아했고 영화 본 후의 감흥을 메모해놓았던 게 도움이 되었습니다. 이와 더불어 제가 특히 좋아하고 흥미롭게 공부했던 사회심리학과 소통에 대해 평소 공부했던 내용을 중심으로 엮었습니다.

이 책을 통해 나눈 이야기가 이성교제와 성, 결혼, 육아라는 중대한 인생과업을 이어 나갈 우리 젊은이들의 여정에 조금이나마 도움이 될 수 있다면 기쁘고 보람될 것 같습니다.

이 책이 나오기까지 많은 분들께 도움을 받았습니다.

특히 책을 집필하도록 격려해주신 성영모 원장님과 북마크 출판사 정기국 사장님, 원고를 정리해주신 이헌건 작가님, 책을 아름답게 만들어주신 디자이너 구정남님과 일러스트를 그려주신 진지현 님께 진심으로 감사드립니다.

그리고 생애 처음 부모 역할을 하는 엄마의 시행착오를 함께 겪어내느라 애쓴 동은, 하림에게 미안함과 사랑의 마음을 전합니다.

2020년 10월, 가을이 오는 길목에서

임 정 란

Part 2 이브와 아담은 어떻게 다를까?

Part 5 행복한 삶을 위한 이야기

소통으로 쓰는 성심리학

PART 1

건강한 몸을
위한
이야기

겉도 속도 다른
남녀의 성기

여자의 성기는 내성기와 외성기로 구분되고, 남자와 달리 중요한 생식 기관은 몸속에 있다. 내성기는 난소와 난관, 자궁, 질로 구성되어 있고, 외 성기는 음핵과 대음순, 소음순, 처녀막, 질구로 구성되어 있다. 내성기는 난 자를 생산하고 정자와 만난 수정란을 자궁에 착상시킨 다음 태아로 성숙 시켜 분만하는 기능을 한다.

난소는 난자를 만들어내고 여성호르몬을 배출한다. 여성은 태내 16~ 20주 사이에 600만~700만 개의 난모세포를 가지고 있다가 100만~200만 개의 원시난포를 가지고 태어난다. 원시난포는 점차 퇴화되고 사춘기 때 30만~45만개가 남는다. 그 후로도 퇴화는 계속되고 가임기에 해당하는 약 35~40년 동안 400~450개 정도의 난자만 배란된다.

난관은 난소와 자궁을 연결하고 있는 8~10cm 길이의 나팔 모양 관으 로, 난소에서 나온 난자를 자궁으로 보내는 통로다. 질은 자궁과 외성기를 연결하는 약 7~8cm 길이의 통로다. 안쪽은 항상 축축한 상태인데, 질 내 유산균이 PH 4.5~5.0 정도의 산도를 유지시켜 외부로부터 병균이 침입하는 것을 막는다. 산성이 유지되는 이유는 질 표피세포에서 나오는 분비물에 포함된 당분을 질 속의 유산균이 분해하여 젖산을 만들기 때문이다. 하지만 과도한 항생제 복용이나 식이 변화, 전신질환 또는 알칼리성인 비누나 살균세정제로 너무 자주 세척하면 질 내의 정상 세균총(bacterial flora, 특정 부위에 모여서 서식하는 세균의 집합체)이 없어져 염증이 생기기 쉬워진다. 질은 정자가 자궁으로 들어가는 통로이자 자궁에서 형성된 월경이 배출되는 곳이며 출산 시에는 아기가 태어나는 산도가 된다.

여자의 외성기의 모습은 남자의 모습과 뚜렷하게 구별된다.

질구는 자궁과 통하는 질의 입구로 그 주위에 얇은 점막으로 된 처녀막이 있다. 처녀막의 모양이나 구조는 사람마다 다르다. 처녀막은 성교나 과격한 운동에 의해 파열되는데, 처녀막의 모양에 따라 파열이 일어나지 않기도 한다. 이 경우엔 첫 성교 시 출혈이 없을 수도 있다. 질구를 중심으로 타원형의 작은 피부 주름이 소음순을 형성하고 있고, 소음순의 앞쪽 중앙에 음핵이 있다. 작은 돌기처럼 생긴 음핵은 성감을 민감하게 느끼는 부위로 남성의 음경에 해당한다. 겉으로 보기에는 작지만 실제로는 'ㅅ'자 모양으로 내부까지 연결되어 있어 상당히 크다. 소음순 바깥쪽을 둘러싸고 있는 두툼한 부위는 대음순이다.

남성의 생식기계는 생식선인 고환(정자를 생산하는 곳)과 부속기관인 부고환, 정관, 정낭, 전립선, 음경 등으로 구성돼 있다. 음낭 내에 있는 고환은 정소라고도 부르는데, 성숙한 정자를 생산, 분비하고 테스토스테론, 인히

빈 등의 호르몬을 합성하고 분비한다. 부고환은 고환의 뒤쪽에 붙어 있는 5cm 길이의 기관으로 정관과 연결된다. 정자는 부고환을 통과하면서 운동 능력을 갖게 되어 수태 능력을 갖추게 된다.

정관은 부고환과 정낭을 이어주는 관이며 정낭은 정액을 생산하는 일종의 주머니다. 밤톨을 뒤집어 놓은 것처럼 생긴 전립선은 방광 아래쪽에 있으며 정액의 일부(30%)를 생성한다. 전립선에서 분비하는 전립선액은 정자에게 영양을 공급하고 운동능력을 향상시켜준다. 전립선은 방광 입구의 요도를 둘러싸고 있기 때문에 전립선에 문제가 생기면 소변 흐름을 방해하여 배뇨 곤란 증상을 일으키기도 한다. 음경은 소변과 정액의 배출 통로다. 정액은 정자를 포함한 생식에 필요한 물질을 함유하고 있는 남성 생식기 분비물이다. 한 번 사정 시 배출되는 양은 3~5cc 정도이며 80% 이상이 수분이고 나머지 10% 정도가 단백질과 지방, 과당 등이며 실제 정자가 차지하는 비율은 2~3%지만 평균 2억 5,500만 마리가 들어있다.

정자는 고환 내의 정모세포에서 정자세포가 증식되고 분화되어 정자로 형성되고 성숙되기까지 74일이 소요된다. 성숙된 정자가 다시 부고환-정관-정낭 등의 운송기관을 거치면서 수정 능력을 갖게 되기까지는 14일이 소요되므로, 약 3개월에 걸쳐 임신 가능한 정자가 형성된다. 임신이 되기 위해서는 한 번 사정 시 정액 속에 최소한 1억 마리 이상의 정자가 있어야 한다. 사정 후 음경 밖으로 분출된 정자는 여성의 질 내에서는 4시간 정도 생존하고 자궁 속에서는 3일 정도 생존이 가능하다. 즉 정자가 자궁 내에 도달해 있을 때, 만일 3일 이내에 배란된다면 임신될 수 있다.

그러므로 건강한 아이를 갖기 원한다면 남성은 반드시 임신을 계획하는 시점, 최소 3개월 전부터 음주, 흡연, 약복용을 중단하고 스트레스를 줄이는 등 최상의 상태로 유지해야 한다. 또한 여성은 직접 아이를 태내에서 잉태하여 기르고 출산하기 때문에 훨씬 더 중요역할이므로 배란기 때부터 시작하여 임신 전체 기간 동안 안정되고 건강한 몸과 마음상태를 유지해야 한다.

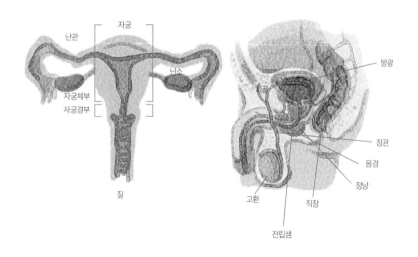

남녀의 성기

생명의 원천,
생리

생리는 여성의 몸과 마음의 건강 상태를 파악하는 척도가 될 만큼 매우 중요하다. 여성의 몸에서는 매달 호르몬의 변동에 의해 난소에서 배란이 일어나고, 자궁내막은 임신에 대비하여 자양분을 축적함으로써 점점 두꺼워진다. 이렇게 두꺼워진 자궁내막은 수정란이 착상하지 않으면 필요가 없어지므로 몸 밖으로 흘러나오게 되는데, 그것이 바로 생리다.

즉, 여성이 생리를 한다는 것은 새 생명을 잉태할 수 있는 능력을 가졌다는 뜻이다.

생리주기는 보통 24~35일, 생리기간은 3~7일, 생리 양은 20~80cc 정도를 정상으로 본다. 하지만 생리의 양이나 기간은 개인마다 다르고 그때그때의 건강 상태에 따라 달라질 수 있다. 일시적으로 몸 상태가 안 좋거나 스트레스를 심하게 받을 경우 생리주기나 양에 변화가 생긴다. 컨디션이 회복되면 대부분 저절로 좋아지지만 3개월 이상 무월경 상태가 지속되거나 출혈량이 너무 많은 경우, 출혈이 일주일 이상 오래 가면 산부인과 검진을 받아야 한다. 생리 양이 점점 많아지거나 생리통이 심해지는 경우는 자궁근

종, 선근증, 자궁내막증 등의 질환이 있을 수 있고, 생리주기가 불규칙해지는 경우는 다낭성난소증후군을 의심해볼 수 있다. 병원에 가면 초음파나 호르몬 검사를 포함한 혈액검사를 통해 간단하게 진단할 수 있다.

월경이 나오기 며칠 전부터 불안, 짜증, 우울, 피로감, 입맛이 변화하는 등 감정 기복이 심한 증상이 반복되면 월경전증후군이라 진단한다. 월경전증후군은 주로 성호르몬의 불균형 때문인데, 스트레스를 많이 받거나 우울증, 공황장애 등 정신과 질환이 있을 경우, 만성 질환을 앓고 있을 때도 나타날 수 있다. 과음과 흡연, 카페인 섭취를 줄이고 규칙적인 생활을 하면서 신선한 채소 위주의 식사와 햇볕을 쬐면서 걷는 산책 등 가벼운 운동을 하면 개선될 수 있다. 심한 경우는 피임약 등의 호르몬 치료나 항우울제를 처방하기도 한다.

최근에 늘어나고 있는 다낭성난소증후군도 생리 관련 질환이다. 주로 무월경이나 불규칙 출혈 등 생리불순, 여드름, 다모증의 증상이 나타난다. 또 기혼 여성은 배란 장애로 인한 불임 때문에 병원을 찾는 경우도 많다. 대부분 과도한 정신적 스트레스나 불규칙한 생활습관에 의한 에스트로겐, 프로게스테론, 테스토스테론 등 호르몬 불균형이 원인이고, 비만 여성에서 흔하다. 비만이 원인인 경우 체중 감량만으로도 개선 효과가 있지만 심한 경우에는 호르몬 치료를 해야 한다. 하지만 쉽게 재발하고 당뇨나 고혈압, 고지혈증 등 대사질환이 생길 가능성이 높으므로 잘 치료해야 한다.

오르가슴에
대한 이해

마스터스와 존슨(Masters & Johnson)은 1966년에 남성과 여성의 성적 흥분과 반응패턴을 1만 건 이상 분석하여 각성단계, 고조단계, 오르가슴단계, 해소단계로 구성된 '성 반응의 4단계'를 발표했다. 성 의학 및 성 심리학 연구에 한 획을 그은 중요한 연구였다. 그 후 여러 학자의 연구 결과에 따라 '욕망단계'가 포함되어 오늘날에는 성 반응을 5단계로 나눠서 본다.

좀 더 세분해서 살펴보자. 우선 남자의 성주기는 대체로 비슷하다. 남자는 한번 오르가슴에 도달하면(사정을 하고 나면) 다시 성관계가 가능해지는 재 발기 및 재 사정까지 일정한 시간이 필요하다. 반면에 여자는 성주기가 개인에 따라 다양하게 나타날 수 있다. 오르가슴을 아예 느끼지 못하는 경우(오르가슴 비도달형)도 있고, 급하게 고조기와 절정기에 도달했다가 빠르게 쇠퇴기에 이르는 조기 오르가슴형도 있다. 때로는 여러 차례 오르가슴을 느끼는 멀티형도 있다. 외래진료 시 만나는 많은 여성은 불감증과 무성욕, 성욕구 저하, 성교통, 흥분장애 등 다양한 형태의 성문제를 호소한다.

이를 그래프로 나타내면 다음과 같다.

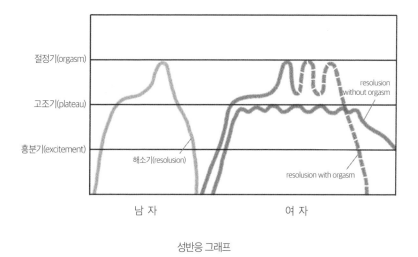

성반응 그래프

　여기서 중요한 것은 각성과 고조, 오르가슴에 이르기까지의 각 단계가 연령이나 약물 복용과 음주 여부, 서로의 관계 등에 따라 큰 영향을 받을 수 있다는 점이다. 특히 남자보다는 여자가 이런 영향을 크게 받는다.

　또 하나, 남자와 여자는 타고난 몸에 의해서도 오르가슴을 느끼는 방식과 부위가 다르다. 남자는 대부분 빨리 흥분하고, 빨리 끝난다. 반면에 여자는 남자에 비해 성반응이 느리므로 남자가 사정을 한 뒤에도 오르가슴을 느끼지 못하는 경우가 많다. 따라서 '삽입'을 하기 전에 충분한 전희가 필요하고, '사정'이 끝난 뒤 후희도 중요하다. 전희와 후희가 없으면 섹스할 때마다 오르가슴을 느끼지 못하게 되고, 나중에는 섹스 자체에 흥미를 느끼지 못하게 될 수도 있다.

어느 부위에서 성감을 더 민감하게 느끼는가 하는 건 사람마다 다르다. 남자는 성기 부위에 성감대가 집중돼 있는 반면 여자는 가슴과 유두, 음핵, 겨드랑이, 귀, 소음순, 질 등에 성감대가 고루 분포돼 있다. 대부분의 여성은 음핵(클리토리스)이 성적으로 가장 중요한 해부학적 구조물이며 주로 음핵을 자극했을 때 강력한 오르가슴을 느낀다. 따라서 전희와 후희에서 가장 중요하게 터치해야 할 부분은 당연히 음핵이다. 질의 경우 하부 3분의 1은 접촉에 반응하고 상부 3분의 2는 압력에 예민하다. 치골과 자궁 경부 사이의 질 전벽에 위치하고 있는 지-스폿(G-spot)은 압력에 상당히 민감하며 극치감을 느낄 때 소변 같은 체액을 유출한다고 알려져 있다.

지-스폿은 남성의 전립선과 비슷하다고 생각하면 된다.

앞서 얘기했듯이 개인마다 성감대는 전혀 다를 수 있다. 그러므로 일반적인 지식만으로 접근하면 상대는 아무런 감흥을 느끼지 못하는데 혼자 열중하는 경우가 생길 수 있다. 심지어 상대는 섹스 자체에 흥미가 떨어져 '빨리 끝냈으면 좋겠다.'라는 생각을 하고 있을 수도 있다. 또 이와 같은 성 반응 단계에 대한 설명은 마치 모든 성행위가 오르가슴이라는 목표를 향해 가는 여정이며 거기에 도달하지 못하면 미완성 내지는 실패라는 오해를 불러일으킬 수도 있다. 성교만이 정상적인 성행동이라고 믿었던 과거에는 피부접촉, 키스, 애무, 성기접촉 등의 과정을 밟아 오르가슴이라는 목표에 도달하는 것이라고 생각하는 사람이 많았다. 하지만 현재는 다양성의 시대다. 성적 행동에도 다양성이 존중되어야 한다. 즉 단순한 접촉이나 손

잡기, 키스, 자위, 성교, 성기접촉, 구강성교, 피부접촉, 성기삽입, 페팅 등 여러 형태로 사랑과 친밀감을 표현할 수 있다. 특히 폐경 전후의 중년, 노년의 성은 성교 위주의 성행동이 아니라 서로를 위하고 챙겨주는 정서적 교감과 단순한 피부접촉만으로도 충분히 만족하는 관계를 이어갈 수 있다. 따라서 성에 대해 열린 시각이 필요하다.

섹스는 단순한 신경회로의 반사가 아니다. 성기와 말초신경, 중추신경, 성호르몬 등이 복합적으로 작용하여 몸의 감각과 감정, 더 나아가 대뇌의 인지기능까지 모두 관여하는 전체적인 교감으로 이해해야 한다.

성반응에 영향을
주는 것들

　성적 반응은 그때그때의 상황과 컨디션에 따라 달라질 수 있다. 일반적으로 성반응에 나쁜 영향을 주는 것은 낮은 자존감과 불안감, 정서적 불안정, 우울증 등의 정신건강 상태다. 몸과 마음은 바늘과 실처럼 떼려야 뗄 수 없는 관계다. 때문에 마음이 안정되고 편해야 성행동도 원활할 수 있다. 다음은 노화다. 노화가 진행됨에 따라 성에 대한 반응도와 욕구가 40% 정도 감소한다는 연구가 있다. 하지만 젊었을 때의 성생활과 개인의 건강상태에 따라 나이 든 후의 성적 능력이나 만족도는 사람마다 다를 수 있다. 일반적으로 남성은 30대 이후 매년 남성호르몬이 1~2%씩 감소하는데, 40대부터 점차 성욕이 떨어지고 발기부전이 오거나 성적 쾌감이 둔해지며 성관계 횟수도 감소할 수 있다.

　여성은 갱년기 때부터 에스트로겐 저하로 질 점막이 건조하고 위축되므로 성교통을 느끼는 경우가 많아서 질 윤활제 등의 도움이 필요하며, 삽입 성교 이외의 다른 성적 행위를 통해서도 교감을 나누는 게 좋다.

　이외에도 성격적 요인, 파트너와의 관계, 파트너의 성기능 장애, 불임 등

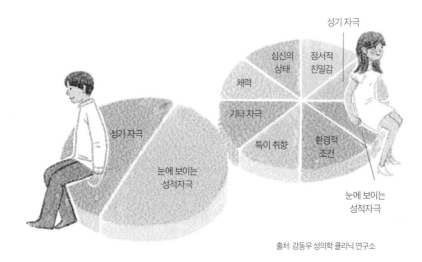

출처: 강동우 성의학 클리닉 연구소

성적 자극의 남녀 차이

의 요인이 있다. 약물 가운데 성반응에 영향을 줄 수 있는 것은 항고혈압제, 항우울제, 항정신약물, 항히스타민제, 경구피임약, 호르몬제, 이뇨제, 알코올, 항경련제 등이다.

또 스트레스, 만성 골반염, 자궁내막증, 다낭성난소증후군, 재발성 헤르페스, 태선 경화 등 피부질환, 유방암, 당뇨 등의 만성 질환, 자궁절제술을 받은 경우, 자궁경부암이 있거나 임신 중이거나 산욕기간도 성반응에 영향을 준다.

이와 같은 여러 가지 이유로 성욕구가 생기지 않으면 몸이 반응하지 않기 때문에 남성의 경우는 발기부전이 오거나, 여성은 질을 촉촉하게 준비해주는 액이 분비되지 않아 점막이 건조하므로 성관계 시 통증을 느낄 수

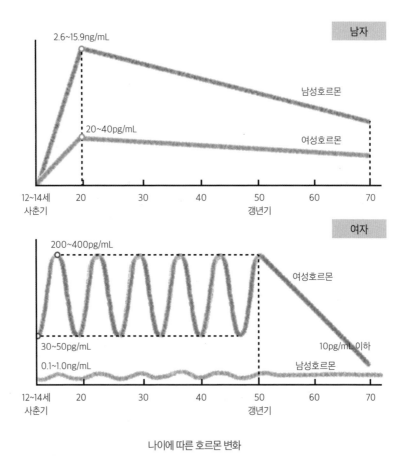

남자

2.6~15.9ng/mL

남성호르몬

20~40pg/mL

여성호르몬

12~14세
사춘기   20   30   40   50   60   70
                                              갱년기

여자

200~400pg/mL

여성호르몬

30~50pg/mL

10pg/mL 이하

0.1~1.0ng/mL

남성호르몬

12~14세
사춘기   20   30   40   50   60   70
                                              갱년기

나이에 따른 호르몬 변화

있다. 이렇게 통증을 느끼면 다음 성관계를 기피하고 싶은 마음이 생기고,
악순환이 반복되게 된다. 그럴 땐 파트너가 상황을 충분히 이해하고 배려
해주는 게 필요하며, 일시적으로 질 윤활제를 활용하거나 몸과 마음의 컨
디션 회복을 위해 노력하는 게 좋다.

남녀의
성기능 장애

성인 남성의 10% 정도는 발기부전을 겪고 있는 것으로 알려져 있고 약 30%의 여성은 성적인 흥미가 없다고 하며, 약 10~15%의 여성은 만성 성교통을 경험한다.

성기능 장애의 종류는 남성의 경우 발기장애(부전), 오르가슴 장애(지루증), 기능성 장애(조루증), 성욕저하 등이 있다. 보통 젊을 때는 발기가 잘되고 성욕구도 왕성한데 나이가 들면서 고혈압으로 인한 동맥경화로 음경동맥의 혈액공급 저하 또는 정맥폐쇄부전, 당뇨로 인해 신경과 혈관 손상, 척수 손상, 전립선 질환, 남성호르몬 감소, 스트레스 등 심리적 요인, 술과 흡연, 성관계 빈도 감소 등의 원인으로 성기능 장애가 올 수 있다.

여성은 성욕구가 아예 없거나 심리적 측면 때문에 흥분장애 또는 오르가슴 장애를 겪기도 하고 질경련으로 인한 성교통 등의 장애가 있을 수 있다.

신체적인 질환에 의한 경우는 약물 치료를 받거나 심리적인 문제라면 부부 상담 치료를 통해 도움을 받을 수 있다.

콘돔 없는 섹스는
낙하산 없는
스카이다이빙

풋풋하고 싱싱한 20대 남녀가 진료실을 찾는 경우가 종종 있다. 쭈뼛쭈뼛 쉽게 말문을 열지 못하는 경우, 십중팔구는 원치 않는 임신을 한 커플이다. 개인 사정은 천차만별이지만, 크게 보면 상황은 대동소이하다. '아직 결혼할 때도 아니고, 아이를 낳을 상황은 진짜 아닌데 계획에 없는 임신을 했으니 어떻게 하면 좋을까요?' 하는 것이다. 그나마 두 사람이 함께 병원을 찾는 경우는 다행이고 여자친구의 임신 사실을 알게 된 남자친구가 연락조차 받지 않고 잠수를 타서 여자 혼자 어찌할 바를 모르고 병원을 찾는 일도 꽤 많다.

"피임은 왜 안 했나요? 콘돔을 쓰면 원치 않는 임신도 막을 수 있고 성병도 예방할 수 있는데 안 썼어요?"

물어보면 대부분 비슷한 대답을 한다.

"남자친구에게 콘돔을 쓰자고 하면 끼 있는, 경험 많은 여성으로 오해 받을까 봐 차마 말을 못 하겠더라고요…"

"콘돔은 남자친구가 안 좋아해서요."

"피임약 먹으면 몸에 안 좋다고 해서요."

"사정을 밖에다 하면 임신 안 되는 거 아닌가요?"

산부인과 의사로서, 한편 같은 여성으로서 참으로 안타깝다. 콘돔만 썼어도, 피임약만 미리 먹었어도 병원을 찾는 일은 없었을 것이기 때문이다.

피임에 실패하여 어쩔 수 없이 낙태를 하는 여성은 죄책감과 더불어 우울증과 혹시 모를 후유증에 대한 불안감으로 고통 받는 경우가 많다. 따라서 임신할 상황이 아닌 경우에는 꼭 피임을 해야 한다. 우리나라도 외국 영화에 나오는 것처럼 자연스럽게 여성의 핸드백과 남성의 호주머니에 콘돔이 준비돼 있는 문화가 갖춰졌으면 한다. 콘돔 없는 섹스는 낙하산 없이 하는 스카이다이빙과 같다.

스마트폰 앱을
과신하지 말라

"원장님, 배란은 언제 되나요? 제가 생리 끝나고 며칠 후에 관계를 했는데 임신 가능성이 있나요?"

진료실에서 흔히 듣는 질문이다. 요즘에는 정보화시대에 걸맞게 배란일을 계산해주는 어플까지 나와 있어서인지 예전에 비하면 좀 덜 하는 편이긴 하다. 배란일은 다음 달에 올 생리 시작 일을 대략 예측할 수 있어야 계산할 수 있다. 다음 생리 예정일에서 2주 전쯤이 배란 시기이고, 임신 가능 기간은 난자와 정자의 최대 수명을 고려할 때 대략 배란일의 1주일 전부터 배란된 지 3일 이내까지다.

특히 배란일을 중심으로 전3일 후2일 사이가 임신 가능성이 높다. 임신을 원하는 부부는 그 시기를 잘 맞춰서 시도해야 하고 피임을 원하는 커플은 그때를 피해야 한다.

그러나 생리주기가 기계처럼 일정한 여성은 없다. 설사 그동안 주기가 일정했다 하더라도 그달 그달의 신체 컨디션에 따라 언제든지 바뀔 수 있다. 그러므로 어플에서 계산된 배란주기만 믿어서는 안 된다. 그건 어디까지나 계산된 가상의 날짜일 뿐 막상 그때가 되면 여성의 몸은 다르게 바뀔 수 있기 때문이다. 어플리케이션 배란기는 참고만 할 뿐 맹신하면 안된다.

응급피임을
아시나요?

"원장님 어젯밤에 남자친구와 갑자기 성관계를 했는데 임신될까 봐 걱정돼요."

직장에 다니는 30대 여성이 남자친구와 피임하지 않은 채 성관계를 했다며 진료실을 찾았다.

이런 경우처럼 만일 피임을 하지 못하고 성관계를 했는데 임신을 원치 않는 경우라면 최대한 신속하게(가급적 72시간 이내) 응급피임약을 처방받아 복용할 수 있다. 요즘에 시판되는 약은 간편하게 한 알만 복용하면 된다. 어떤 여성은 성관계를 할 때마다 응급피임약으로 피임하려고 한다. 하지만 응급피임약에는 고농축 호르몬이 들어 있어서 부작용이 있을 수 있다. 가장 흔한 부작용으로 불규칙한 출혈이 있거나, 그 외에 메스꺼움, 구토, 두통, 현기증, 아랫배 통증, 생리주기의 변화가 있을 수 있다. 또 물혹이 생기기도 한다. 그러므로 응급피임약은 말 그대로 응급 상황에서만 사용해야 한다. 그리고 약 복용 전 최대 5일 이내에 있었던 성관계까지만 피임효과가 있으므로 복용 이후에는 확실한 피임방법을 모색해야 한다.

그리고 응급피임약을 복용했을지라도 100% 임신을 방지하는 것은 아니기 때문에 복용 후 3주 이내에 생리가 시작되지 않거나 자신의 원래 생리예정 날짜에서 일주일 이상 늦어지면 꼭 다시 검진을 받아보아야 한다.

응급피임약의 피임 효과는 2시간 이내 복용 시 95%이고 48시간 이내 복용 시 85%, 72시간 이내 복용 시 58%이다. 그러므로 성관계 후 빨리 복용하면 할수록 피임효과가 크다.

체외사정은
피임이 아니다
그럼 어떻게 피임해?

지난달에 남자친구와 여행을 다녀온 후 이번 달 생리예정일이 지났는데도 아직 생리가 없어서 내원한 28세 여성 환자가 있었다. 소변으로 임신반응 검사를 했더니 임신으로 진단되었다.

"피임은 어떤 식으로 하셨나요?"

"남자친구가 체외사정을 했어요."

"체외사정은 완벽하게 조절하기가 어렵고 단 한 방울의 정액이라도 수백~수천 마리의 정자가 들어있기 때문에 임신 확률이 높습니다. 또 흥분했을 때 분비되는 쿠퍼액에도 정자가 들어있을 수 있어요."

"아. 그렇군요. 저는 지금까지 그런 방법으로 피임을 해왔기 때문에 괜찮은 줄 알았어요."

이처럼 피임 실패로 내원하는 여성들이 종종 있다. 가임기 여성은 성관계할 때마다 피임에 신경 쓰지 않으면 임신 가능성이 높다고 늘 강조하지만 설마 하는 마음으로 방심하다가 원치 않는 임신을 하는 경우가 있다.

피임법은 정해진 기간 동안 효과가 있는 일시적인 방법과 한번 시술로 영구적인 효과가 있는 방법이 있다. 일시적인 피임법에는 콘돔, 경구피임약, 주사피임제, 자궁내장치(루프), 임플라논 등이 있다. 주사피임제는 한번 맞으면 3개월 동안 피임 효과가 있다. 하지만 호르몬 용량이 높기 때문에 자주 권하지는 않는다. 상완부 안쪽 피부 바로 밑에 심는 임플라논은 3년, 자궁내피임장치는 한번 시술하면 5년 동안 피임 효과가 있다. 또 하루 한 알씩 한 달 내내 복용하거나 한 달에 21일간 복용하는 경구피임약도 있다.

난관수술과 정관수술은 영구적인 피임법이다. 여성의 난관이나 남성의 정관을 묶고 절단하는 수술이므로 앞으로 임신할 계획이 전혀 없는 부부들에게 적용된다. 가끔 진료실에서 마치 끈을 묶었다 풀었다 하는 것처럼 간단하게 생각하고 일시적 피임방법으로 생각하는 분들을 종종 만나는데, 큰 오해다. 하지만 인생이 자기 뜻대로 되지 않는 경우가 많기에 수술 후 불가피하게 다시 임신을 해야 하는 상황이 생겼을 때는 절단된 관을 다시 연결시켜주는 재문합수술을 하기도 한다.

각각의 피임법은 장단점이 있고, 실패율도 있다. 피임 방법을 선택하는 것은 여성의 나이나 임신 경력, 그 외 상황에 따라 다르다. 10대 후반이나 20대 초반이라면 여성의 생리주기가 불규칙하거나 충동적인 성관계를 할 가능성이 높으므로 콘돔 피임법을 권장한다. 20대 중반~30대 미혼 여성은 경구피임제가 좋다. 만일 피임약을 날마다 챙겨 먹을 수 없거나 임신 경력이 있는 경우는 자궁내장치나 임플라논을 권한다. 기혼여성의 경우는 나이와 출산 경험 여부, 향후 임신 계획에 따라 적절한 피임방법을 결정한다.

달콤한 로맨스가 남긴
쓸쓸한 감염병, 성병

　우연히 만난 남성과 성관계를 한 며칠 뒤부터 외음부 피부가 헐고 분비물이 많아지면서 아랫배가 아파 병원을 찾아온 30대 여성이 있었다. 진찰해보니 외음부 피부에 전반적으로 궤양이 퍼져 있고 질 분비물 상태가 좋지 않았다. 균 검사를 했더니 클라미디아, 임질, 매독 등 여러 가지 성병 균에 동시 감염되어 있었다. 회사를 결근하고 며칠 동안 입원해서 치료를 받아야 할 정도로 상태가 심각했고, 여러 가지 균을 모두 없애느라 치료기간도 길었다. 진료실에서 이렇게 안타까운 여성을 만나는 경우가 많다.

　성병은 성적 행위를 통해 전파되는 성매개 감염 질환의 통칭이다. 종류로는 요도염(임균성·비임균성, 트리코모나스), 질염(트리코모나스, 칸디다, 세균성), 골반염, 외성기 궤양성 질환(매독, 연성하감, 음부 단순포진, 성병성 림프육아종, 서혜부 육아종), 외음부에 닭벼슬처럼 뾰족뾰족한 사마귀가 나는 첨규형 콘딜로마, 에이즈, 음모에만 기생하는 이의 일종인 사면발이 등이 있다. 요즘엔 간염(A형, B형, C형)도 구강성교를 포함한 성관계로 전염될 수 있다고 알려져 있다. 하지만 앞서 열거한 질환에 걸렸다고 해서 모든 경우가 성관계 후에 생겼다고 말할 수 없다. 질염을 포함한 일부 질환은 성관계와 무관하게 감염되는 경우도 있기 때문이다.

성병은 치료하지 않고 방치하면 여성의 경우는 질과 자궁, 난관을 거쳐 골반 속으로 염증이 퍼져갈 수 있으며 난관염, 골반염이 생길 수 있다. 남성의 경우 전립선암 등의 위험성을 높인다. 인유두종바이러스(HPV) 감염자의 경우 자궁경부암 발생 가능성이 100배나 높은 것으로 알려져 있다. 또 만성 골반염으로 진행되면 골반통증, 자궁 외 임신, 불임 등의 위험성이 커지고 뱃속에 농양이 생기면 수술도 해야 한다. 성병은 생식기는 물론 입이나 항문 등 성 접촉을 하는 모든 부분을 통해 전염된다. 일부 성병은 수혈이나 주사를 통해 감염되기도 하고, 임신 중에 성병에 감염되면 태아도 영향을 받을 수 있다.

어떻게 하면 성병을 예방할 수 있을까? 상대방이 균이 없는 사람이면 된다. 하지만 현실적으로 성관계를 하기 전에 병원에서 진단을 받을 수도 없는 노릇이 아닌가. 성관계 시 콘돔을 정확하고 철저하게 사용하면 여러 가지 성병을 사전에 막을 수 있다.

서로를 보호하기 위해 콘돔을 써야 한다고 남녀가 당당히 얘기하는 분위기가 되어야 한다. 콘돔을 쓰자고 얘기하는 건 성경험이 많아서가 아니라 자기 자신과 상대방을 아끼고 사랑하는 현명한 사람이기 때문이다.

혼전 성관계에 대한 사회적 분위기가 개방적으로 바뀌면서 결혼을 전제로 하지 않는 성관계가 많아지고 첫 성관계 연령도 점점 낮아지는 추세다. 2018년 교육부·보건복지부·질병관리본부가 청소년 60,040명을 대상으로 조사한 '제14차 (2018년)청소년 건강행태조사 통계'에 따르면 성관계 경험이 있다고 응답한 청소년은 전체의 5.7% (3422명)였다. 성관계 시작 평균 연령은 만 13.6세로 나타났다. 과거에는 성병 환자 관련 통계가 부족했지만 최근 성병 치료 현황의 추적 관찰이 가능해지면서 성병의 발생 빈도가 늘고 있음이 확인된다. 2014~2016년에 시행된 '청소년건강행태온라인조사'에서 성경험이 있는 중·고생의 9.7%가 임질·매독·클라미디아 등 성병에 감염된 적이 있는 것으로 나타났다.

성병의 특성은 복합성이라서 한 번에 여러 가지 균에 감염된다. 실제 병원에서 12가지 성병 균에 대한 검사를 해보면 균이 한 가지만 있는 경우는 극히 드물고 보통 3~5가지의 균이 동시에 검출되는 경우가 많다. 재발률도 높다. 균에 대한 면역성이 극히 미약하고 감염 경험자의 노출 빈도가 증가하기 때문이다. 다행히 성병은 에이즈를 제외하고는 조기 치료로 완치가 가능하다. 또 어떤 균(클라미디아, 임질, 매독, 트리코모나스 등)은 파트너를 동시에 치료해야 한다. 무증상 보균자인 경우도 많다. 검사에서는 여러 균이 검출되지만 자각 증상이 없는 경우다. 하지만 본인은 증상이 없어도 상대에게는 균을 옮길 수 있다. 여성의 경우 임질과 비특이 질염의 60~90%, 남성의 경우 트리코모나스 감염의 95%가 무증상이다. 대부분 자연적으로는 퇴치가 불가능하고 치료가 필요하다.

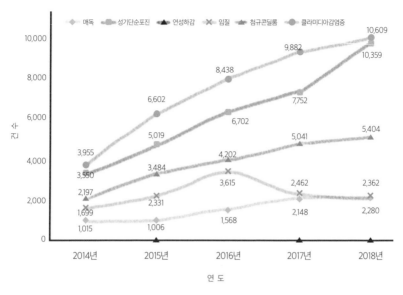

성병6종 증가 추이 (참조: 메디칼 업저버)

성병에 걸릴 위험은 항문성교의 경우 세 배, 파트너가 여러 명인 경우는 두 배, 임질균에 감염된 경우와 폭음을 하는 경우에는 다섯 배로 높아진 다고 한다. 여자의 신체구조는 음주 시 성병에 감염되기 더 쉽게 되어 있을 뿐만 아니라 면역력도 약해지기 때문이다.

어느 통계에 따르면 만일 자신이 성병에 걸린 경우 여성은 48%, 남성은 36%가 각각 "성병에 걸렸다는 사실과 함께 감염 원인도 솔직하게 말할 것 이다"라고 응답했다. 진료실에서도 어느 한쪽이 먼저 감염된 후 파트너에 게 병원 진료를 받아보라고 해서 온 경우를 많이 보게 된다. 그나마 꽤 괜 찮은 경우다. 자신의 감염 사실을 계속 비밀에 부쳐 파트너가 무방비 상태로 피해를 입는 경우가 많기 때문이다.

따라서 여성들이 정기적으로 산부인과에서 검사를 받듯 남자들도 주기적인 건강 검진이 필요하다. 정액 검사와 성기능 장애 여부, 빈혈·신장·간·혈당·콜레스테롤 수치, 전립선 검사, 성병 검사 등을 통해 문제가 발견되면 치료하는 게 현명하다.

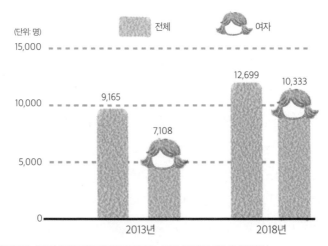

<데일리 메디> 2019년 06월 10일 "10대 청소년 성병 급증…5년새 40% 증가, 대책 시급" 중에서

10대 성병환자 증가 추이

앞에서 뒤로,
×× 전후에 00 하기

제목을 읽고 무슨 생각을 했는가? 무엇을 떠올렸건 그것은 상상의 자유다.

나는 영화 보기를 좋아하고, 그중에서도 특히 '로코'를 좋아한다. 로맨틱 영화에서는 파티나 술집에서 우연히 만난 두 남녀가 서로 운명적인 느낌에 이끌려 격정적인 사랑을 나누는 장면이 거의 빠지지 않고 등장한다. 어느 빈 방에 들어가 키스를 퍼부으며 서로의 옷을 급하게 벗기고 침대로 돌진한다. 외국 영화에서는 심지어 신발까지 신은 채 정열적인 애무를 하기도 한다. 그런 장면을 보면 젊음의 열정을 보는 것 같아 달달하면서도 한편으로 산부인과 의사로서 불편하다. 청춘의 정열을 불태우고 사랑을 맘껏 표현하는 건 한없이 부럽고 좋은 일이지만 그 후에 겪게 될 일들이 염려되기 때문이다.

수십 년에 걸쳐 산부인과 진료를 하는 동안 가장 자주 만난 것은 질염에 걸려 병원을 찾는 여성이다. 갑자기 고름 같은 노란 분비물이 나오거나 상한 우유처럼 몽글몽글 흰색 덩어리진 냉이 흘러나올 수도 있고, 생선비

린내 같은 불쾌한 악취가 난다거나 외음부가 빨갛게 부으면서 가렵기도 하다. 질염은 제일 흔하고 치료도 간단하지만 당사자는 당황스럽고 불편하기 짝이 없다. 가려워도 맘대로 긁을 수도 없고 냄새도 여간 신경 쓰이는 게 아니다.

얼마 전에 진료했던 20대 여성도 새로 사귄 남자친구와 교외 드라이브를 하고 오는 길에 분위기가 무르익어 차 안에서 관계를 했는데, 며칠 뒤부터 가렵고 분비물이 심해져 병원을 찾게 된 경우다. 운전대에는 변기보다 더 많은 세균이 묻어있다고 한다. 관계 전후에 손과 외음부를 깨끗하게 씻는 사람은 염증에 걸릴 확률이 현저하게 낮아진다. 또 여성들은 뒷물할 때 샤워기의 물줄기를 몸 앞에서 뒤로 뿌려야 한다. 항문 쪽에는 원래 균이 많이 있기 때문에 뒤에서 앞으로 물을 흘려보내면 질 부위가 균에 오염되기 때문이다. 요즘 코로나 바이러스 때문에 손 씻기가 얼마나 중요한 예방책인지 연일 강조되고 있다. 성관계를 통해 감염될 수 있는 균도 세척에 의해 어느 정도는 예방될 수 있다.

질염은 꼭 성관계 후에만 걸리는 것은 아니다. 성경험이 전혀 없어도 몸이 피곤하거나 면역력이 약해진 경우, 생리 전후 위생 상태에 따라 언제든지 발병할 수 있다. 항문과 질과 요도는 바로 근접해 있는 기관이기 때문에 항문에 있는 균에 의해 질이나 요도에 염증이 생길 수도 있다. 또 질염이 있는 경우 요도염이나 방광염도 생기기 쉽다.

그러므로 성관계를 하기 전과 후에는 외음부와 항문을 깨끗이 씻는 게 좋다. 간혹 성관계를 한 후 진찰과 질 소독을 위해 병원에 오는 여성도 있는데 약간이라도 찜찜한 느낌이 들면 바로 확인하고 치료받는 태도가 현명하다.

질염을 예방하기 위해서는 바람이 잘 통하는 면 재질 속옷을 입고, 너무 꽉 끼는 바지는 피해야 한다. 탐폰을 사용한다면 자주 교체해야 하며 오럴 섹스는 입에서 생식기 부위로 세균이 전파될 수 있으므로 주의해야 한다.

알고 보면 쉬운
성병 예방법

- 한 사람과만 성관계를 한다.
- 여러 명과 성관계를 할 경우 정기검진을 받는다.
- 유흥가나 접객업소 종사자와 성관계를 피하고, 성관계를 했을 경우에는 성병검사를 받는다. 특히 해외여행 시 윤락여성과의 성 접촉은 에이즈에 걸릴 위험성이 크다.
- 남성의 경우 가장 간편하고 정확한 예방법은 콘돔이다.
- 성관계 직후 소변을 보고 물로 성기를 씻는다.
- 성병 증상이 있을 경우 즉시 병원을 방문해서 검진, 치료를 받는다.
- 콘돔은 성행위 시작할 때부터 끝까지 필히 사용해야 하며 너무 격렬한 딥 키스는 피한다.
- 성병에 걸렸을 경우 반드시 배우자(섹스 파트너)도 같이 치료한다.
- 가려움증이 있거나 물집이 생겼거나 소변볼 때 불편한 증상이 나타나면 즉시 성병 검사를 받는다.
- 성병은 감염 후 잠복기가 있으므로 의심스러운 성관계 뒤엔 잠복기 이

후에 검사한다. 잠복기는 임질은 1주 이내, 사면발이는 1~17일 이내, 에이즈는 3주~3개월, 매독은 1개월이다.

- 성 접촉 시작하기 전에 인유두종바이러스(HPV) 백신을 접종한다.
- 성병에 걸려서 치료를 받고 있는 기간에는 성관계를 하지 않는다.
- 주사기나 주사바늘은 1회용만 사용하고 면도기, 칫솔, 손톱깎이 등을 공동으로 사용하지 않는다.
- 침을 맞거나 문신을 새기거나 귓불을 뚫을 때는 반드시 멸균된 기구를 사용해야 한다.
- 에이즈의 경우, 감염 우려자로부터 혈액, 혈액제제, 장기이식 등을 받지 말아야 한다.
- 파트너가 B형 간염 환자나 보균자이면서 본인은 B형 간염 항체 검사 음성인 경우에는 B형 간염 백신을 접종해야 한다.
- A형 간염은 구강 및 항문 성교를 하는 사람에게 흔하므로 이런 경우는 혈청글로부린을 투여받아야 한다.

자궁경부암백신은
빨리 접종할수록 좋다

"제 딸이 고등학생인데 자궁경부암백신을 맞아야 하나요? 언제 맞는 게 좋은가요?"

진료가 막 끝난 중년여성이 진료실을 나가려다 갑자기 뭔가 생각났다는 듯이 돌아서며 묻는다.

"잠깐 앉아보세요. 간단히 설명해 드릴게요."

환자의 딸을 위한 건강 상담이 시작된다.

자궁경부암백신은 정확하게 말하면 자궁경부암을 일으키는 인유두종 바이러스(HPV)에 대한 예방 백신이다. 흔히 자궁암이라고 말하지만, 엄밀하게는 자궁경부암을 일컫는다. 자궁경부는 자궁의 아래쪽 3분의 1에 해당하는 부위로, 여성암중 유방암에 이어 암이 많이 생기는 곳이다.

우리나라 여성 10만 명당 31명 정도가 자궁경부암에 걸린다. 발생 원인은 성 접촉성 감염 질환이라는 설이 가장 유력하고, 17세 이전에 일찍 성관계를 시작했거나 여러 남성과 성관계를 가진 여성, 여러 명의 여성과 성관계를 한 배우자(파트너)를 둔 여성의 경우 발생률이 높다. 성관계를 통해 전파되는 인유두종바이러스에 감염될 가능성이 더 증가하기 때문인 것으로 알려져 있다.

가장 흔한 증상은 성교 후 질 출혈과 악취가 나는 질 분비물, 체중감소, 하복통 등이다. 환자의 3분의 1은 증상을 느끼지 못한다. 그러므로 자궁경부암은 인유두종바이러스에 감염되기 전, 즉 성 접촉을 시작하기 전에 백신을 맞는 것이 좋다.

우리나라의 경우 자궁경부암백신은 2007년도에 도입되었다. 예방할 수 있는 바이러스 종이 몇 개인가에 따라 2가, 4가, 9가의 세 종류 백신이 있다. 그중 하나를 선택해서 1·2·6개월이나 1·3·6개월 스케줄로 3회 접종한다. 인유두종바이러스는 DNA 바이러스의 일종으로 100여 종류가 있다. 그중 60여 종은 피부 표면에 감염되어 사마귀를 유발하고 나머지 40여 종은 주로 생식기에 감염된다. 각 바이러스는 숫자로 구분된다. 위험도에 따라 저위험군과 고위험군으로 분류하는데, HPV 6번과 11번 같은 저위험군은 곤지름 같은 생식기 사마귀를 일으키고 HPV 16번, 18번 같은 고위험군은 자궁경부암, 질암, 외음부암, 음부암, 음경암 등 생식기 암을 유발한다. 생식기 인유두종바이러스는 대부분 성 접촉을 통해 전파되지만 드물게는 성경험이 없는 경우에도 감염되기도 한다.

"제 남자친구도 자궁경부암 백신을 맞아야 하나요?"

검사에서 HPV를 진단받고 백신을 권유받은 여성의 질문이다. 딸을 둔 엄마들은 자궁경부암 백신에 대해 흔히 묻지만 아들을 둔 엄마가 그런 질문을 하는 경우는 거의 없다. 아마도 명칭이 '자궁경부암' 백신이어서 그럴지도 모른다. 하지만 남성이 인유두종바이러스 백신을 맞으면 상대 여성이 자궁경부암에 걸리지 않게 보호하는 측면이 있고 남성 자신은 항문암, 음경암 등 생식기암과 두경부 종양에도 예방효과가 있으므로 도움이 된다.

현재 알려진 암 중에서 거의 100% 예방이 가능한 암이 바로 자궁경부암이다. 그러므로 성 경험이 있는 여성은 1년에 1~2회 정도 정기적인 자궁암 검사를 받는 것을 권한다. 정기검진을 통해 암으로 진행되기 전 단계에서 조기 발견할 경우 완치가 가능하기 때문이다.

남녀가 함께 받는
웨딩 검진

"원장님, 결혼을 앞두고 건강상태를 체크하러 왔어요."

결혼을 석 달쯤 앞둔 예비신부가 진료실을 방문했다. 결혼은 예나 지금이나 인륜지대사다. 나고 자란 원 가족을 떠나 새로운 둥지를 만들어 진정한 성인으로서 새롭게 도약하는 시점이다. 생의 중요한 전환점이므로 당연히 몸도 마음도 건강한 모습으로 새 출발을 하는 게 좋다.

웨딩검진은 결혼하기 3~6개월 전에 시행한다. 웨딩검진을 통해 치료할 질병이 발견되기도 하고 항체형성을 위해 예방접종이 추천되기도 한다. 주로 초음파검사, 풍진 항체 유무와 간염 및 간 기능 검사, 갑상선 기능 검사, 빈혈검사, 혈액검사, 소변검사, 유방암, 자궁암검사, 성병검사 등을 한다. 검사의 목적은 결혼 전 혹시 치료해야 한 질환이 있는지 살펴보고, 자신이 원하는 시기에 건강하게 임신을 잘 할 수 있을지 확인하기 위해서다.

요즘엔 35세가 넘어서 결혼하는 만혼 커플이 많아지는 추세라 예비 부모로서 몸 상태를 미리 체크해보는 게 더욱 중요하다. 남성의 웨딩검진은 여성과 마찬가지로 혈액검사와 소변검사 그리고 정액검사 및 전립선·고환

검사 등이 포함된다.

　누구나 웨딩검진이 필요하겠지만 특히 30세 이상이거나 가족 중 유전 질환이 있거나 평소 생리불순이 있는 경우, 약물을 복용 중인 경우, 성병에 걸린 적이 있었던 경우에는 반드시 검사를 받아야 한다.

PART 2

이브와 아담은
어떻게 다를까?

진화심리학적인
관점에서 본
남녀의 차이

옛 중국의 속담에 '어느 구름에서 비가 내릴지 모른다.'라는 말이 있다. '어느 사람과 어느 시간, 어느 장소에서 인연이 될지 모르니 매 순간, 모든 사람에게 최선을 다하라' 하는 의미로 쓰이기도 한다. 진화론적으로 대비해보자면, 수컷의 입장에서 '어떤 암컷이 나의 후대를 이어줄지 모르니까 되도록이면 여러 암컷에게 씨를 뿌려야 한다.'가 될 것이다.

몇 년 전 행동생물학자인 리처드 도킨스(Clinton Richard Dawkins, 1941년~)교수의 <이기적인 유전자>를 읽기 위해 꽤 많은 시간을 투자한 적이 있다. 생물학적인 관점뿐 아니라 인류의 미래에 대한 철학적인 분석까지 담고 있는 책이어서, 꽤 복잡하고 어려워 온전히 이해하며 읽어내기가 쉽지 않았다. 깊은 철학적 논의는 잠시 뒤로 하고 <이기적인 유전자>의 결론은 제목에도 이미 나와 있듯이, 자신의 유전자를 후대에 남기는 게 모든 생명체에게 있어서 최대의 목표라는 것이다.

일반적으로 남자는 대체로 개방적이고 여자는 상대적으로 보수적이다.

동물의 수컷은 성관계를 많이 맺을수록 후손을 남길 확률이 높아지기 때문에 당연히 여기저기 기웃거리면서 기회를 엿본다. 말 그대로 어느 구름에서 비가 올지 모르니까, 다양하게 관계를 맺으면 그중에 누군가 자신의 후손을 퍼뜨려줄 가능성이 높기 때문이다.

반면 암컷은 임신을 하면 일정 기간 동안 새끼를 뱃속에서 키워야 하고, 출산 후에도 꽤 오랫동안 돌봐야 한다. 한 번의 임신에 투자하는 시간이나 에너지가 많이 필요하다. 즉 자신의 유전자를 퍼뜨리기 위해 긴 시간이 필요하다는 의미다. 단 5분 만에도 자신의 후손을 퍼뜨릴 수 있는 수컷과 대조되는 면이다. 그러므로 암컷은 상대 파트너를 신중하게 고를 수밖에 없다. 좋은 씨를 가진 파트너, 자신이 뿌린 씨에 대해 책임을 질 수 있는 파트너여야 한다. 인간의 세계도 동물의 세계와 비슷한 맥락이 있다.

그래서 여성들은 파트너를 고를 때 단순히 상대의 외모만 보지 않고 재력과 집안 배경, 사회적 위상, 성격(성실성, 신뢰) 등등 이런 걸 모두 다 고려해야 하니 신중하고 까다롭다. 즉 자신의 후손을 함께 협력해서 돌볼 수 있는 능력이 있는가와 오랫동안 옆에 머물며 성실하게 함께할 것인가를 보는 것이다. 반면에 남성은 여성의 외모와 건강을 주로 본다. 건강해야 자신의 후손을 잉태해서 퍼뜨려줄 가능성이 높기 때문이다. 이건 순전히 진화심리학적인 관점에서 그렇다는 이야기다.

또 진화심리학적인 관점을 잘 나타내주는 영어 표현이 있다. 'mother's baby father's maybe'다. 해석해보면 '엄마 뱃속에서 태어난 아이는 틀림없는 엄마의 자식이지만, 아버지의 자식은 아닐지도 모른다.'가 된다. 정말 재미있는 표현이다.

여자의 입장에서는 10개월 동안 품고 있다가 출산하기 때문에 틀림없는 자신의 아이지만, 남자의 입장에서는 태어난 아이가 자기의 후손인지 아닌지 100% 확신할 수가 없다. 그러므로 확실한 자신의 후손임을 확인하기 위해 다른 수컷^(남자)이 접근할 수 없도록 늘 암컷^(여자)의 곁을 지키게 된다.

그런데 여기서 재미있는 것은 배란기^(가임기)가 뚜렷하게 밖으로 드러나는 동물 암컷과 달리 인간 여자의 배란기는 남들이 알 수 없도록 속에 감춰져 있다는 사실이다. 이것 역시 진화의 한 결과다. 동물은 수태를 위해 배란기^(발정기)때만 짝짓기를 하면 되지만, 인간은 언제 임신되는지 모르기 때문에 임신을 위해 수시로 섹스를 할 수밖에 없다. 언제가 배란기인지 모르는 데다 또 언제든 짝짓기가 가능하므로 자신이 뿌린 유전자가 임신으로 이어지게 하기 위해서는 자신의 파트너 곁에 계속 머물러 있을 수밖에 없다. 그래야 안심이 되니까. 그래서 떠돌아다니던 수렵사회가 막을 내리고 한 곳에 정착하여 농사를 짓는 농경사회가 시작되었다는 주장도 있다.

생물학자인 최재천 박사는 자신의 책에서 개똥지빠귀의 삶을 재미있게 소개한 적이 있다. 개똥지빠귀는 이른 봄이 되면 수컷이 먼저 날아와 제일 좋은 영역을 확보하느라 서로 싸운다. 그리고 제일 좋은 영역에 둥지를 마련한 부자 수컷한테 여러 마리의 암컷들이 모여들어 함께 어울려서 산다. 암컷들이 변두리 영역에 있는 초라한 수컷의 본처가 되기보다 좋은 영역을 차지한 부자 수컷의 후처로 들어가는 것을 더 선호한다는 것이다.

워싱턴대학 연구진의 짓궂은 실험 얘기도 재미있다. 연구진은 부자 수 컷을 잡아다 불임수술을 시켰다. 그러면 어떻게 될까? 당연히 그 둥지에서 함께 사는 암컷들은 새끼를 못 낳을 텐데, 얼마 지나니까 그 암컷들이 알을 낳아서 부자 수컷과 어울려 잘 살더라는 것이다. 부자 수컷의 집에 들어가서 풍족한 먹이와 편의만 활용하고 짝짓기는 옆집 수컷과 한 후 알을 낳았다는 얘기다. 자신의 유전자를 어떻게든 후대에 반드시 남기려는 고도로 영리한 전략이다. 재미있고도 참 약삭빠른 이기적 유전자 이야기다.

여자는 청각,
남자는 시각에서
사랑이 시작된다

사랑을 주고받는 '섹스'에도 남녀 차이가 있다. 첫눈에 반했건 오랫동안 마음에 품어왔건 간에 남자와 여자가 만나면 대화를 나누고, '썸'을 타고, 스킨십을 하면서 서로 몸을 나누는 단계로 발전해간다. 하지만 문제는 여기서 부터다. 지금까지 순조롭게 진행돼 온 남녀 관계가 사랑의 화룡점정이라 할 섹스에서 서로의 차이로 인해 갈등을 겪는 경우가 생긴다. 몇 가지 차이 중에서도 특히 결정적인 건 '남자는 시각, 여자는 청각'이라는 점이다. 성 심리학자 킨제이에 따르면 성 반응을 일으키는 자극은 남녀가 서로 다르다. 남자는 여자의 예쁜 얼굴이나 벗은 몸 등 시각적인 자극에 예민하고 여자는 밀어를 속삭이는 나지막한 목소리 등 청각적인 자극에 더 민감하다.

여성은 목소리의 톤에서도 감정을 느낀다. 톤이 높은 소리를 잘 참지 못하므로 남성들은 여성을 향해 큰 소리로 말하는 걸 조심해야 한다. 반면에 숨소리나 속삭임 등의 자극은 성욕을 높이는 기폭제가 된다. 따라서 애무 중에 작은 목소리로 속삭인다면 좋은 자극이 될 것이다. 이 상황을 조금 극적으로 표현해보면 남자는 '불을 켜고 하는 섹스', 여자는 '불을 끄고 하는 섹스'를 원한다. 즉 남자는 사랑하는 여자의 표정이나 벗은 몸을 보면서 성적 흥분을 더욱더 느끼기를 바라지만 여자는 환한 불빛의 민망함과 부끄러움을 피해 적당한 어둠속에서 달콤한 '사랑의 밀어'를 속삭여주기를 원하는 것이다.

어린 시절, <타잔>이라는 인기 TV 프로그램이 있었다. 1914년에 출판된 미국 소설가 애드거 라이스 버로스의 소설을 배경으로 만든 드라마였다. 지금으로서는 상상하기 어렵겠지만 당시에는 동네에 TV 있는 집이 몇 없어서 친구들과 놀다가 <타잔>할 시간이 되면 TV 있는 집으로 함께 몰려가곤 했다. 심지어 학교에서 학년 초마다 학생의 가정환경을 파악하기 위해 생활환경 조사라는 걸 했는데 TV가 있느냐 없느냐를 표시했을 정도였으니, TV는 제법 큰 재산 목록 중 하나였다. 동네가 아담하여 이웃 사이에 흉허물 없이 지내던 시절이라 '김일'의 레슬링 경기나 국제축구대회 같은 게 열릴 때면 TV를 가진 집주인은 언제나 문을 활짝 열어주었고, 이웃 사람들은 염치 불고하고 안방으로 몰려 들어가 넋을 잃은 채 화면에 몰두하면서 함께 응원하기도 했다.

주인공 타잔은 아프리카 밀림 속에 버려진 아이였는데 유인원에 의해 길러져 야생의 야수 인간으로 자란다. 나중에 다 커서는 밀림의 정의와 질서를 수호하는 정글의 왕이 된다. 밀림에 적이 쳐들어와(주로 밀림의 동물을 몰래 잡아가는 밀렵꾼들이다) 동물들이 위기에 처하면 어디선가 타잔이 나타나 코끼리 등 밀림의 동물들을 모아서 함께 적을 물리치는 게 하이라이트였다. 그럴 때 동물들을 불러 모으는 타잔의 신호는 '아아 아아아아~~' 하는 우렁찬 목소리였다. 수십 년이 지난 지금도 타잔 특유의 그 목소리가 귓가에 생생하다. 하지만 타잔의 얼굴이나 상반신이 다 드러나게 벗은 몸은 거의 생각나지 않는다. 나 역시 '청각적인 자극'에 더 민감했던 것 같다. 하지만 남성들의 기억 속에는 타잔의 울퉁불퉁한 가슴과 근육질 팔뚝이 더 기억 속에 남아 있을지 모른다. 어쩌면 타잔보다는 타잔의 연인이었던 제인의 예쁜 얼굴과 늘씬한 몸매가 더 강하게 남아 있을지도 모를 일이다.

뇌 과학자들은 남자와 여자의 이런 차이의 원인을 '뇌'에서 찾는다. 남자와 여자의 뇌가 모양이나 크기, 신경세포 수, 신경회로의 구성 등이 서로 다르기 때문이라는 것이다. 하지만 연구자마다 결과가 분분하고 남녀의 뇌의 차이에 대한 논란은 아직도 계속되고 있다. 그럼에도 한 가지 분명한 것은 대부분 남자는 시공간 능력이 뛰어나고 여자는 공감능력이 더 좋다는 점이다. 그래서 남자는 지도를 잘 읽고 여자는 말을 잘하는 것인가.

남자에게 자신만의
동굴을 허하라

스트레스에 대응하는 심리적인 반응은 크게 세 가지로 나눌 수 있다. 싸움-도망-얼어붙음 반응이다. 예를 들어 어떤 사람이 정글에서 호랑이를 만났을 때를 상상해보자. 그는 세 가지 중 하나로 행동할 것이다. 재빨리 도망치거나 용감하게 맞서 싸우거나 혹은 어찌할 바를 몰라 그 자리에 꼼짝도 못하고 얼어붙거나 한다.

우리도 실생활에서 지인이나 타인이 생각지도 못한 말이나 행동으로 자신을 공격해 올 때, 맞서서 항변을 하거나 슬쩍 피해버리거나 어떻게 대응해야 할지 몰라 그대로 있었던 경험이 있을 것이다. 누가 악을 쓰거나 물건을 던지고 싸우는 등 폭력적인 모습을 보이면, 그 순간에 몸이 얼어붙으면서 머릿속이 하얀 백지가 되는 사람도 있다. 그 순간에 도대체 아무것도 할 수가 없다. 대부분 부모는 아이가 떼를 쓰며 마구 울기 시작하면 왜 우는지 이유를 살피고 야단을 치거나 달래주는 게 일반적인 반응인데 어떤 엄마는 얼어붙는다. 마치 고양이 앞의 쥐처럼 꼼짝도 못하고 어떻게 해야 할지 몰라서 안절부절 한다. 이런 식으로 사람마다 살아온 경험이 다르기 때문에 스트레스에 대응하는 방식이 다를 수 있다.

흔하게 하는 얘기 중에 '남자에게 동굴이 필요하다'는 말이 있다.

"남자는 심한 스트레스를 받거나 어떤 문제에 봉착했을 때 정면 대응하기보다는 피하고 싶어 하는 경향이 있어요. 마치 동굴 같은 혼자만의 공간에서 뭔가 생각하고 정리를 하고 싶어 하죠. 남편이 문을 닫고 들어가는 건 자신만의 공간에서 에너지를 충전하고 생각을 정리할 시간이 필요해서예요. 어떤 남자는 혼자 여행을 떠나기도 하고, 심지어 모든 연락을 끊고 잠적해버리는 경우도 있다고 해요. 그럴 때는 차라리 가만히 내버려두고 충분히 쉴 수 있는 시간을 허용해주세요. 충분히 쉬고 상태가 회복된 다음에 대화를 나누시는 게 좋아요."

　남편이 부부 싸움을 할 때마다 대화로 풀지 않고 혼자 방으로 들어가 버려서 스트레스를 받는다는 30대 주부에게 언젠가 해준 얘기다.

　물론 남자에게만 해당되는 이야기가 아니다. 여성도 그렇다. 누구나 해결하기 어려운 문제가 생기면 일단 눈앞에 있는 다른 일들을 잠시 제쳐두고 마음을 가다듬을 혼자만의 시간과 공간이 필요하다. 이럴 때는 친구나 가족마저 별 도움이 안 되기 때문에 그 공간에는 누구의 침범도 허용하지 않는다. 심지어 일부 학자들은 남자들이 화장실에 오래 앉아 있는 이유 역시 아무에게도 방해받지 않는 자신만의 시간을 누리기 위해서라고 말하기도 한다.

　친구든, 연인이든, 가족이든 혼자 있고 싶어 하면 성가시게 하지 말고 그대로 허용해주자.

여자가
멀티태스킹이
가능한 이유

여자의 경우 좌우 뇌를 다리처럼 연결해주는 뇌량이 더 굵고 커서 좌우 뇌 사이의 신경 전달이 빠르고 원활하다고 한다. 그래서 다리미질하면서 가스레인지 위에 요리를 올려놓고 아기를 돌보면서 동시에 전화 통화를 하는 멀티태스킹이 가능하다.

이는 또한 진화심리학적으로도 설명이 가능하다. 원시시대를 상상해보자. 두 남녀가 섹스에 몰입하고 있을 때 동물이나 낯선 침입자가 공격해오면 재빨리 대응할 수 없어서 다치거나 죽을 수 있다. 그래서 둘 중 하나는 섹스 중에도 외부 침입에 대해 신경을 써야 되는데, 성관계 체위 상 시선이 위를 향하고 있는 여성이 주변을 살피기가 더 쉬웠을 것이다. 또한 멀티태스킹 능력이 있는 사람이 주변을 감시할 수 있기 때문에 그 역할이 본래 여자의 몫이었을 거라는 얘기도 있다.

진화론적 관점으로 그 유래를 유추해보자면, 농경이 시작된 신석기시대 이전까지 인류는 주로 수렵·채집에 의존하여 생활했다. 남성은 수렵을

담당하고 여자는 주로 채집을 했다. 따라서 남성은 동물을 사냥하기 위해 최대한 주의를 한 곳에 집중하고 겨냥하여 쏘는 능력이 발달되었을 것이다. 반면에 여성은 주변에 널린 나무 열매나 나물들을 채집하기 위해 시야를 넓혀 동시에 여러 열매를 보고 많이 따는 능력이 키워졌을 것이다. 또한 가족이 먹을 음식을 준비하고 아이를 낳아 기르는 등 여러 가지 집안일을 함께 처리해야 했기 때문에 생활에 적응하는 차원에서 멀티태스킹 능력이 서서히 길러진 것일 수도 있다.

모든 일이 다 그렇겠지만 멀티태스킹은 양면성이 있다. 즉 좋은 점도 있고 나쁜 점도 있다. 단시간에 많은 일을 한꺼번에 처리할 때는 멀티태스킹 능력이 효율적이겠지만 대화하고 소통할 때는 좋지 않다. 대화를 할 때는 상대와 눈을 맞추고 비언어적인 면까지 주의를 기울여서 제대로 소통하도록 집중해야 하기 때문이다.

또한 생생한 삶을 느끼려면 동시에 여러 가지를 하는 것보다는 한 번에 한 가지씩 천천히 하는 게 좋다. 밥을 먹을 때 입속의 음식물을 부드럽게 음미하듯 오래 씹으면 음식의 맛이 제대로 느껴진다. 또 걸어가면서 걷는 것 자체에 의식을 집중하면 땅에 닿는 발바닥의 감각부터 몸의 움직임과 피부에 스치는 바람, 코끝에서 느껴지는 공기의 흐름까지도 생생하게 느낄 수 있다. 이처럼 지금 이 순간 나의 몸이 있는 곳에 나의 의식까지 온전히 함께하는 삶을 살려면 한 번에 한 가지씩 집중해야 한다. 멀티태스킹을 하면서 의식이 생생하게 깨어있기는 쉽지 않을 테니까!

여자는 우회적이고
남자는 직선적이다

사랑하는 남녀가 함께 드라이브를 하다가 멋진 커피숍을 발견했다.

"와! 멋지다!"

두 사람에게서 저절로 감탄사가 튀어나온다. 그런데, 똑같은 감탄사를 내뱉었지만 남자와 여자의 속마음은 전혀 다를 수 있다. 남자는 말 그대로 그냥 '멋지다'는 얘기였지만, 여자는 '그러니까 잠시 내려서 커피 한잔 하고 가자!'고 얘기한 것일 가능성이 높다. 이처럼 뭔가 원하는 게 있을 때 여자는 직접적으로 "나 저거 사줘" 하는 대신 "저 모자 정말 예쁜 것 같다. 그치?" 하는 식으로 돌려서 말한다.

언어 표현상의 특징도 남녀 차이가 있다. 여성은 대부분 공감하고 친목을 돈독히 하기 위해 말을 한다. 따라서 여성의 언어적인 특성은 굉장히 감성적이다. 다시 말해 복잡하고 풍부하며 우회적이다. 그에 비해 남성은 사실과 정보를 전달하는 것에 초점을 둔다. 따라서 언어적 특성도 굉장히 이성적이다. 즉 단순하고 직선적이다.

흔히 경상도 남자는 집에 와서 "밥 묵자, 아는? 자자." 단 세 마디만 한다는 우스갯소리도 있듯이, 직선 화법을 주로 사용하는 남성들은 사용하는 단어 수도 많지 않다. 어느 연구에 의하면 남성들이 하루에 사용하는 단어의 수는 7,000개라고 한다. 반면에 우회적인 표현을 주로 하는 여성들은 하루 3만 단어를 사용한다고 한다.

남녀가 원활한 소통을 하기 위해서는 남자는 "멋진 카페에서 차를 마시고 싶은 거야?" 하고 여자의 이야기 속에 숨은 의미를 한번쯤 확인해볼 필요가 있다. 여자 역시 남자에게 우회적인 표현 대신 "잠시 차를 멈추고 저 카페에서 커피 마시면서 쉬었다 가자"라고 직선적 화법으로 얘기할 필요가 있다.

남자와 여자의 대화 차이에 관한 멋진 사례가 하나 있다. <응답하라 1994>의 한 장면인데, 인터넷에도 많이 소개돼 있다. 대사를 간략하게 살펴보자.

응답하라 1994

주인공 나정이 하숙집 남자들에게 묻는다.

"내가 이사를 했어. 근데 새집이야. 문을 달으면 페인트 냄새가 심해 머리가 깨질 것 같은데, 문을 열면 매연이 들어와 계속 기침이 난다. 문을 여는 게 좋겠냐, 닫는 게 좋겠냐?"

하숙집 남자들이 줄줄이 답한다.

"그래도 차라리 매연이 낫지 않나?"

"아니지, 문을 닫아야지. 차라리 페인트가 낫지."

답답해진 나정이 정답을 알려준다.

"다 틀렸어. 정답은 '괜찮니? 병원 가야 되는 거 아냐?' 하는 거야."

남자들은 뜻밖의 답에 오히려 화를 낸다.

"지랄을 한다, 지랄을. 뭔 뻘소리야. 그게? 지가 문을 열 것인가 닫을 것인가 물어봐 놓고는 뭔 염병할 소리를 하고 앉았대?"

여자들이 원하는 것은 따뜻한 위로의 한마디다. 하지만 남자들은 오로지 '정답'을 찾아서 알려주려고 한다. 이것이 바로 직선적인 남자와 우회적인 여자의 대화법의 차이다.

자. 이런 남녀 대화법의 차이를 배경으로 다음 문제를 한번 풀어보자. 극중에서 '페인트칠 퀴즈'가 나오게 된 배경이기도 하다.

해태가 나정에게 물었다.

"고향에 있는 여자친구 애정이 생일이 금요일인데, 하필 그날 내가 시험이 있어. 그래서 토요일에 내려가려고 했더니 여자친구가 '생일도 아닌데 뭐 하러 내려와. 안 와도 돼' 하네? 시험을 포기하고라도 금요일에 가야 할까? 아님 토요일에 가야 할까?"

이때 정답은 뭘까?

"'애정아~ 너무 보고 싶은데 어떡하지?' 하면 돼. 네 여자친구는 네가 금요일에 오든, 토요일에 오든, 내년에 오든 아무 상관이 없어. 네 여자친구가 원하는 건 요일이 아니라고!"

남성은 신체에서,
여성은 감정에서
성적 욕망이 나온다

"남편은 하루 종일 나를 무시하는 말을 하고, 밤이 되면 섹스를 요구해요. 나는 남편과 섹스를 하고 싶지 않아요."

진료 중에 젊은 여성이 한 말이다. 성관계 자체를 싫어하는 것이 아니라 남편과 감정적으로 불통인 채 몸으로만 하는 섹스를 원치 않는 것이다.

보이드와 싱거(1988)는 육체적 관계를 맺을 때 남성은 자극의 정도에 따라 행동하고, 여성은 헌신적인 관계 같은 상대방과의 안정적인 관계에 따라 행동한다고 말했다. 즉 남성은 육체적인 관계를 중시하는 반면 여성은 정서적인 관계를 중시한다는 의미다.

전통적인 사회에서는 남성이 성행위에서 주도권을 가지고 능동적으로 행하는 것이 당연시되었고, 여성은 자신의 성 욕구와는 관계없이 '순종이 미덕'이라는 이름으로 수동적으로 대응할 수밖에 없었다. 그러나 인터넷과 대중매체 등의 발달, 서구 문화의 유입, 여성의 사회 참여, 경제적 성장 등으로 성 역할에 대한 인식은 급격히 변화하고 있다.

남자는 정낭 속에 정액과 정자가 꽉 차면 이를 방출하려는 물리적 힘이 생긴다. 반면에 여자는 남편에게 사랑받고, 이해받고, 칭찬을 받으면 육체적으로 친밀해지고 싶은 욕구를 느낀다. 감정적 친밀감이 없으면 육체적 욕망도 없다. 이러한 성적인 남녀 차이는 옳고 그름의 차원이 아니라 단지 서로가 다를 뿐이다.

인간의 마음 깊은 곳에는 누군가와 친밀해지고 사랑받고 싶어 하는 욕망이 있다. 두 사람이 생각과 경험, 감정을 얘기하면서 서로 통한다고 느끼는 것이 중요하다. 결혼은 이러한 친밀함과 사랑의 욕구를 충족시키기 위한 것이다. 서로의 다름을 이해하고 배려해주면서 맞춰가는 지혜가 필요하다.

성경에서는, 결혼은 남편과 아내가 만나 한 몸을 이루는 것이라고 했다. 한 몸이 된다는 것은 남편과 아내가 자신의 고유한 정체성을 잃어버리는 것이 아니라 두 사람이 깊고 친밀한 소통으로 하나의 공동체가 된다는 의미가 아닐까.

대화를 원하는 아내,
섹스를 원하는 남편

'부부싸움은 칼로 물 베기'라는 말이 있다. 짐작하다시피 부부싸움 후에 둘 사이가 서먹해지고 갈등이 있을 때 섹스를 통해 관계가 원상복귀된다는 말이다. 아마 이 표현을 생각해 낸 사람은 분명히 남자(남편)였을 거다.

남자에게는 성관계가 두 사람 사이의 냉전을 종식시키는 충분하고도 확실한 길이 될지 모르지만 적어도 여자에게는 아니다. 여자는 마음이 꽁꽁 얼어붙어 있으면 몸이 반응하지 않는다. 아직 남편에게 서운하고 해소되지 않은 감정의 찌꺼기가 남아있다면 섹스를 할 마음도 없을 뿐더러 설사 어쩔 수 없이 응하게 되더라도 즐거움을 느끼기가 쉽지 않다. 섹스의 만족도를 떠나서 마음은 여전히 풀리지 않은 그대로다. 마음이 먼저고 몸은 그 후의 일이다.

대화를 통해 충분히 마음이 공감 받고 상황이 이해되어야 비로소 마음이 풀리고 그 후에 하는 섹스가 진정으로 두 사람 관계를 더욱 견고하게 만들어주는 매개체가 될 수 있다.

나는 다음과 같이 바꾸고 싶다.

부부싸움은 칼로 물 베기다. 단, 조건이 붙는다. 충분한 대화로 소통이 먼저 이루어진 후여야 한다.

결혼 생활에서 남편은 아내를 통해 성적 욕구를 충족하기를 원하고, 아내가 늘 아름답고 매력적인 모습으로 가꾸기를 원한다. 또한 집에 돌아오면 충분한 휴식을 취하면서 아내에게 칭찬받고 편안하게 놀기를 원한다.

반면에 아내는 남편에게 자상하고 적절한 애정 표현을 받기 원하고, 남편과 진솔하고 개방적인 대화를 하고 싶어 하며, 경제적인 안정을 원한다. 이러한 희망대로 된다면 그 가정이 바로 유토피아일 것이다.

유토피아 이야기를 하다 보니 문득 <스텝포드 와이프>라는 영화가 떠오른다. 이런 '유토피아'를 꿈꾸는 사람들이 모여 사는 마을 이야기다.

스텝포드 와이프-The Stepford Wives, 2004, 주연: 니콜 키드먼(조안나 에버트)

스텝포드(stepford)란 마치 로봇처럼 한 사람에게 순종한다는 뜻의 영어 단어다. 그래서 영화 속 스텝포드 와이프는 완벽하게 여성스러운 로봇 와이프를 말한다.

영화의 배경은 어느 아름다운 시골 마을. 한 여성 과학자가 자신이 꿈에 그리던 이상향을 실현시켜 놓은 마을이다. 이 마을에 사는 남성들은 마초 같은 카리스마가 넘치고, 이런 남편들에게 온전히 순종하며 함께 사는 여성들은 완벽하리만큼 여성스럽다. 바비인형 같은 금발 머리에 완벽한 몸매를 자랑하며 언제나 풀-메이크업 화장을 한 얼굴로 화려한 원피스를 차려입은 채 남편의 시중을 든다.

처음에 그 마을에 사는 남자들은 이런 여성과 함께 사는

것을 너무 행복해하며 즐기지만, 나중에는 무조건 복종만 하는 바비인형 같은 여성에게 무료함과 싫증을 느낀다. 그리고 비록 잔소리하고 꾸미지 않은 흐트러진 모습을 하더라도 자기 할 말 하면서 자신의 권리를 주장하는 개성 있고 인간미 넘치는 아내와 티격태격하면서 사는 것이 훨씬 더 좋다는 걸 깨닫게 된다. 여자들의 완벽한 서비스만 받던 남성들이 마트에서 카트를 끌고 다니며 장을 보고 식료품을 쇼핑하는 장면으로 영화는 끝난다.

얼마 전 악플 때문에 괴로워하다 스스로 세상을 등진 어느 여성 연예인의 사연이 떠오른다.

당시 그 사연을 보면서 사람이 있는 그대로 자연스러운 모습으로 살 수

없는 현실이 안타까웠다. 대중, 특히 남성들은 여성 연예인들에게 '여신'이나 '인형' 등의 수식어를 붙여놓고 물건 포장하듯이 그들에게 대중이 원하는 이미지로 살아갈 것을 강요했던 건 아닐까? 아이돌이니까, 내 눈에 흡족하게 내 욕망을 발산할 수 있는 손쉬운 존재가 되어주길 바랐던 것이다. 즉 <스텝포드 와이프>에 등장하는 완벽한 아내, 말 잘 듣는 바비인형 같은 모습을 그녀에게 강요해 왔던 것이다.

남자들은 그런 세계, 그런 이미지를 끊임없이 희구하고 때로는 요구하지만 <스텝포드 와이프>가 잘 보여주듯이 실제로 그런 세상은 존재할 수도 없고 설사 있다고 해도 금세 싫증을 낼 수밖에 없다. '모든 것이 갖춰져서 손 하나 까딱하지 않아도 되는 곳'은 천국이 아니라 지옥이라는 말도 있지 않은가.

섹스는 사랑의
완성인가, 시작인가?

인류학자 헬렌 피셔(Helen Fisher)에 의하면 사랑은 욕정(lust), 끌림(attraction), 애정(attachment)의 3단계 과정을 거치며, 모든 과정에는 뇌와 호르몬이 작용한다. 마지막 애정 단계에서 드디어 두 사람은 정신적, 육체적으로 결합하고 강한 결속력을 갖게 된다.

여기서 섹스 후에 남녀가 바로 잠이 드는 이유에 대해 생각해보자.

섹스를 하다 오르가슴에 도달하면 대뇌피질의 대사활동이 현저하게 떨어지고 뇌 변연부의 대사활동은 올라간다. 남자의 경우는 길어야 7초 정도의 아주 짧은 시간 동안 옥시토신, 바로프레신, 페닐메틸아민, 엔도르핀 계열의 호르몬이 많이 분비된다. 그리고 오르가슴 후 몸에 긴장이 풀리고 이완되면 프로락틴이 분비된다. 프로락틴은 포유류의 유즙 분비를 조절하는 호르몬으로 수면과도 관련이 있다. 잠잘 때 이 호르몬의 수치가 가장 높다. 오르가슴 후에 남자가 잠이 드는 이유는 이런 호르몬의 영향으로 수면이 유도되고, 격한 근육활동으로 피로도가 높기 때문이다.

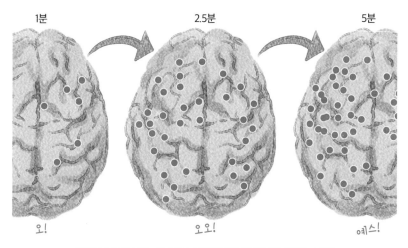

오!   오오!   예스!

여성이 오르가슴을 느낄 때 뇌 속의 변화(빨간 점은 활성화되는 부위)

진화심리학적 관점에서는 자손 번식의 효율성 차원으로 설명한다. 같은 대상과 연이어 다시 성관계를 한다고 해도 그때마다 임신이 되는 게 아니니 굳이 계속할 필요가 없다는 이야기다. 반면에 여자가 섹스 후에 잠이 드는 것은 임신의 성공 가능성을 높이기 위해서라고 한다. 섹스 후 잠이 들어 움직이지 않으면 정액이 밖으로 흘러나오지 않기 때문에 임신 성공률이 높아질 수 있다는 것이다.

섹스를 바라보는 관점에도 결정적인 남녀 차이가 있다. 한마디로 남자에게 섹스는 사랑하는 여자를 드디어 손에 넣었다는 의미에서 사랑의 완성이지만 여자에게 섹스는 이제부터 진짜 사랑의 시작이다.

섹스가 사랑의 완결인가 사랑의 시작인가에 대한 남녀의 차이를 진화심리학적 관점이나 생물학적인 측면에서 분석해보면 남자는 '씨를 뿌리는 역할'을 하고 여자는 '뿌려진 씨앗을 가꾸어내는 밭 역할'을 하기 때문이라고 할 수 있다.

인간을 비롯한 모든 생명체에게는 개체보존 본능과 동시에 종족유지 본능이 있다. 그래서 모든 활동이 그 본능을 충족시키는 방향으로 향한다. 그런 관점에서 본다면 남자에게 있어서 기나긴 연애 과정은 '섹스'를 위한 하나의 준비 단계로 볼 수 있다. 그런 면에서 여자에게 명품 가방을 선물해주고, 함께 영화를 보러 가거나 맛있는 것을 함께 먹는 등 공을 들이는 것도 결국은 '섹스'를 위한 것이라고 할 수 있다.

따라서 남자는 섹스를 통해 씨를 퍼뜨림으로써 드디어 임무를 완수한 성취감과 만족감 속에서 돌아누워 코를 골게 된다. 이렇게 얘기하면 많은 남성들이 반발할지도 모르지만, 남성이 의식적으로 그렇게 행동한다는 게 아니라 수천 년 동안 피를 통해 전달되어 내려온 것이기 때문에 깊은 무의식 속에서 자기 자신도 모르게 진행된다는 의미다.

반면 여자는 섹스가 끝난 직후부터 씨를 보호하고 키워내는 긴 여정이 시작된다. 여자에게 전희 못지않게 후희가 중요한 이유가 이 때문이다.

"세상에는 두 종류의 여자가 있다. 섹스 후 안아줘야 하는 여자. 두고 바로 가도 되는 여자."

이런 대사가 인상적이었던 영화 <고스트 오브 걸프렌즈 패스트>(Ghosts Of Girlfriends Past, 2009. 주연: 매튜 맥커너히, 제니퍼 가너, 마이클 더글라스)가 생각난다.

섹스가 끝난 뒤에도 남자가 돌아눕지 않고 얼마 동안 안아주면서 애정 어린 스킨십을 이어가면 여자는 안도감과 편안함, 사랑받는다는 느낌을 받게 된다. '이 남자는 나를 떠나지 않겠구나. 자기가 뿌린 씨에 대해 책임을 지겠구나.' 하는 것이 무의식 속에서 확인되기 때문이다. 반면에 섹스가 끝나자마자 돌아눕거나 침대에서 몸을 일으켜 나가는 남자에게는 '이 남자가 정말 나를 사랑하긴 하는 건가? 자신의 2세에 대해 책임질 수 있는 남자일까?' 하는 의구심이 든다. 만족스러운 섹스였을지라도 뭔가 허전하고 서운한 마음이 드는 것이다. 물론 이건 어디까지나 진화심리학적 관점의 이야기고 임신여부와 관계없이 섹스 자체가 그렇단 얘기다.

고슴도치의 딜레마
가깝고도 먼 연인

　서로 아는 것보다 모르는 게 훨씬 더 많은 남녀가 만나 아름다운 사랑을 가꿔나가기 위해서는 어떻게 해야 할까? 그리스 신화 속 '이카루스의 날개'에서 힌트를 얻을 수 있을 것 같다. 밀랍으로 된 날개를 등에 멘 채 '태양'을 향해 날아오르다 밀랍이 녹아내리면서 그만 추락하고 말았던 이카루스.

　이카루스는 미노스 왕 때문에 크레타 섬에 함께 감금당했던 다이달로스의 아들이다. 아버지 다이달로스는 크레타 섬을 탈출하기로 결심하고 새의 깃털을 모아 실로 엮고 밀랍을 발라 날개를 만들었다. 아들 이카로스에게도 날개를 달아주며 비행연습을 시키고 함께 탈출할 계획을 세웠다. 그는 아들에게 "너무 높이 날면 태양의 열 때문에 밀랍이 녹고 너무 낮게 날면 바다의 물기 때문에 날개가 무거워져 추락할 수 있으니 하늘과 바다의 중간 높이로 날아야 한다."라고 신신당부한다. 하지만 탈출하던 날 이카로스는 자유롭게 날게 되자 자신도 모르게 너무 높이 날게 되었고, 태양열에 밀랍이 녹아내려 추락하고 말았다.

아무리 죽고 못 사는 연인이라 하더라도 100% 모든 면을 서로 교감할 수는 없다. 사랑을 하면 둘이 하나가 된 듯 착각하지만 사실은 각자의 일부분을 함께하는 것일 뿐이다. 누구도 상대를 전부 소유할 수 없다. 상대의 독립적인 영역을 인정하고 존중해줘야 건강한 관계를 이어갈 수 있다.

사랑하는 청춘 남녀는 서로에게 태양과 같은 존재다. 너무 멀어지면 온기를 받지 못해 얼어붙고 너무 가까우면 뜨거워서 타버린다. 서로 적당한 거리를 유지해야 연인 사이의 따뜻함을 느낄 수 있다. 불가근불가원(不可近不可遠)의 관계다.

19세기 독일의 염세주의 철학자 쇼펜하우어는 20대 때 "사랑은 너무나 덧없고, 확실치 않으며 쉽게 사라지기 때문에 노력해야할 만큼의 큰 가치가 없다"라고 말했을 정도로 연애혐오자였다. 한 남자와 한 여자가 서로 끌리는 것이 고결한 감정 때문이 아니라 본능적인 삶의 의지일 뿐이라는 것이다.

하지만 나중에 쇼펜하우어는 역설적이게도 사랑에 대해 그 누구보다 멋진 통찰을 보여주었다. 그것은 바로 '고슴도치의 딜레마'를 통해서다. 고슴도치의 딜레마는 쇼펜하우어의 저서 <소품과 단편집>(Parerga und Parali-pomena)에 등장하는 한 편의 우화다.

어느 추운 겨울날, 고슴도치 몇 마리가 추위를 피하기 위해 모여들었다. 하지만 고슴도치들이 가까이 모이자 피부 표면을 둘러싸고 있는 날카로운 가시가 서로를 찔러대기 시작했다. 그 아픔에 고슴도치들은 즉시 서로 떨어졌지만, 추위 때문에 다시 모일 수밖에 없었다. 이렇게 모였다가 떨어지기를 여러 차례 반복한 끝에 그들은 서로 간에 가시가 닿지 않을 정도의 최소한의 간격을 두는 것이 최고의 길이라는 것을 발견했다. 떨어져 있을 때의 외로움과 추위, 그리고 붙어있을 때의 가시에 찔리는 고통 사이를 오가다가 결국 둘 사이에 적당한 거리를 유지하는 방법을 배우게 된 것이다.

사실 고슴도치의 딜레마는 인간 사회의 관계에 대한 통찰이라 할 수 있다. 하지만 사랑의 본질 역시 이와 크게 다르지 않다. 세상의 절반은 여자, 절반은 남자다. 남자와 여자는 오늘도 이 세상 어디선가 사랑을 나누고, 서로 다투고, 이별을 하면서 아픔을 겪고 있다. 사랑의 아픔은 대부분 '거리'를 적절하게 유지하지 못한 데서 오는 경우가 많다.

또 겉으로 드러나지는 않지만, 우리는 누구나 고슴도치처럼 자기만의 '가시'를 가지고 있다.

자신은 어떤 가시를 장착하고 있는지를 자기탐색을 통해 알아내야 한다. 또한 상대는 어떤 가시를 가지고 있는가를 알아봐야 한다. 자신과 상대에 대한 탐구가 필요하고 서로 이해하고 맞춰가는 배려가 필요하다.

심리학자 버샤이더와 왈스터에 의하면 사랑하는 연인, 두 사람 사이에는 의존감과 독립욕구가 공존한다. 사랑의 관계를 깨지게 하거나 서로 오해를 불러일으키는 딜레마 중 하나가 바로 '의존감'과 '독립욕구' 간의 갈등이다. 즉 두 사람의 사랑이 깊어질수록 연인들은 상대방으로부터 점점 더 많은 욕구를 충족한다. 교제를 통해 만족감이 커지면 연인들은 관계에 점점 더 의존하게 된다. 그러면 각자의 독립이 위협받게 되므로, 좋으면서도 싫은 양가감정을 느끼게 되고 관계에 빨간불이 들어온다.

만일 둘 다 '가시'를 가지고 있으면서 사랑에 빠진 두 사람이 적절한 거리를 유지하지 못하면 서로 가시에 찔려 상처가 나고 피를 흘릴 수 있다. 이 곤경을 피하려면 먼저 상대방의 개인적 독립성을 존중하고 격려해주어야 한다. 그리고 지금 상대방이 느끼고 있는 양가감정이 무엇일까를 고려해봐야 한다.

앞에서 잠깐 소개했던 대로 남자든 여자든 '자신만의 동굴'이 필요할 때가 있다. 그럴 때는 상대에게 무슨 일 때문에 동굴이 필요한지, 언제쯤 동굴에서 나올 건지 등을 미리 알려주면 좋을 것이다. 그러면 상대방은 조용히 기다려줘야 한다. 상대의 일거수일투족을 다 알고 싶어서 수시로 전화하고 문자하고 간섭하면 상대는 숨이 막힐 정도로 답답할 것이다.

누구나 마음이 재충전되는 자신만의 시간, 자신만의 공간이 필요하다.

상대가 쫓아오면 도망가고 상대가 도망가면 쫓아가고 싶은 게 사람 심리다. 적당히 밀당의 묘미를 펼쳐야 한다. 연인들이여, 이카루스처럼 밀랍이 녹지 않도록, 고슴도치처럼 가시에 찔리지 않도록 적당한 거리를 유지하라!

교감이 이루어지지 않은 부분

교감이 이루어진 부분

교
감

사랑도 섹스도 둘이 하나가 되는 듯 하지만 각자가 자신의 일부분을 함께 하는 것..
⇨ 누구도 상대를 소유할 수 없다

남녀의 교감과 소통

여성다움과 남성다움은
어떻게 형성되는가?

1935년, 미국의 유명한 인류학자 마가렛 미드는 남태평양 사모아 지역에 사는 세 부류의 원주민 부족을 연구하여 각 사회에 따라 성 역할이 달라진다는 걸 밝혀내고, 이를 '세 부족사회의 성과 기질'이라는 논문으로 발표했다. 연구대상이었던 부족 이름은 아라페시족, 문두구머족, 챔블리족이었다. 그 중에 아라페시족은 남녀의 역할 구분이 따로 없이 온화하고 협동적으로 자녀를 함께 돌봤다. 반면에 문두구머족은 강하고 독립적인 성향을 중요하게 생각했다. 자애롭고 모성적인 성향을 나약하다고 여겨서 남녀 모두 폭력적이고 사나우며, 자기주장이 강하고 거친 성격을 지녔다. 챔블리족의 여성들은 정열적이고 호전적이며 외모를 꾸미지 않는 데 비해 남성들은 감정적이고 의존적이며 치장과 잡담을 즐겼다.

만일 남자와 여자라는 생물학적 차이만으로 사회에서 하는 역할이 정해져 있는 것이라면, 시대나 사회를 불문하고 남녀의 역할이 일률적일 것이다. 하지만 마가렛 미드의 연구에 따르면 전혀 그렇지 않았다. 이러한 현상은 프랑스의 작가이자 철학자인 시몬느 드 보봐르가 말한 '여자는 태어나는 것이 아니라 여자로 만들어진다.'와도 일맥상통한다.

젠더(성역할)는 태어날 때부터 주어진 것이 아니라 대부분 사회문화 구조 속에서 세대를 이어 내려오는 집단 무의식과 지속적인 학습에 의해 후천적으로 만들어진다. 집단 무의식이란 자라면서 보고 겪은 것들이나 조상 대대로 내려오는 관습을 말한다. 이외에도 사회적 통념이나 합의 등도 성역할 개념을 결정짓는 중요한 요소다.

따라서 현재 우리가 생각하는 여성다움이나 남성다움의 개념은 우리 스스로 정리한 것이 아니고 자신도 모르는 사이 외부에서 주입된 것이다. 태어나 자라면서 가정과 학교, 사회 등 여러 경로를 통해 보고 들은 것들이 검열 과정 없이 우리 속에 들어와 자리를 잡은 셈이다. 예를 들어보자.

"집안일이나 아이 돌보는 일은 여자 몫이지."

"여자는 조신하고 예뻐야지."

"남자는 씩씩하고 용감해야 돼."

나 역시 이런 얘기를 부모님이나 선생님에게 들으며 자랐다. 이런 식으로 자연스럽게 학습된 결과 어떤 관념이 진실이고 정답이라고 스스로 믿게 된 것이다. 과거의 한국문화는 유교적 전통이 강해 '남존여비' 사상이 바탕에 깔려 있다. 그래서 권위 있는 남성상과 순종적인 여성상이 은근히 강요되고 학습되어왔다.

만일 어떤 가치관이 윗세대에서 전승받아 그대로 우리 속에 내재화된 것이라면 시대가 변하고 세월이 흐름에 따라 그 가치관을 계속 고수하는 게 맞는 것인지 한번쯤 의심해볼 필요가 있다. 시대가 변해도 지켜야 할 가치관도 많지만 시대에 맞게 수정·변화해야 할 것도 많다. 특히 성역할에 대한 고정관념은 시대적 상황에 맞게 바뀌어야 할 것 같다.

현재의 젊은 세대에 있어 여성다움·남성다움의 개념은 어떻게 수정되어야 할까? 또 미래에는 어떻게 변화될까?

"남자가 부엌에 얼씬거리면 안 돼!"

20년 전만 해도 먹히는 얘기였다. 하지만 요즘 젊은 세대에게 그랬다간 큰일이 난다. 요즘 같은 맞벌이 시대에 이런 가치관을 가지고 어떻게 잘 살겠는가. 집안마다 전해져 내려오는 문화와 습관이 서로 다르기 때문에 가치관 역시 다를 수밖에 없다. 평생 다른 가치관을 가지고 살던 두 남녀가 만나서 살면 가치관이 충돌하는 것은 당연하다. '너는 틀렸고 내가 옳다' 하지 말고 서로 맞춰가야 한다.

"설거지 내가 도와줄게."

"청소는 내가 해줄게."

자칭 '가정적'이라고 하는 남자들이 자주 하는 말이다. 언뜻 들으면 참 반갑고 좋은 이야기다. 하지만 이런 이야기를 하는 사람의 머릿속에는 '집안일은 여자의 몫'이라는 고정관념이 들어있다. 그래서 '도와준다.'고 하는 표현이 자연스럽게 나오는 것이다. 밥하고 설거지하고 청소하고 빨래하는 건 살아가는 데 필수적인 것이라 누구나 당연히 해야 하는 일이다. 누구의 몫이 따로 있는 게 아니다. 이제 남자다움이나 여자다움에 대한 가치관을 새로 정립해야 할 때다.

신데렐라와
종이봉지 공주 이야기

우리 사회에 널리 퍼져 있는 '진짜 남자'에 대한 신화가 몇 가지 있다. 대표적인 것 중 하나가 "남자는 우는 게 아니야!" 하는 것이다. "남자가 눈물을 흘려야 할 때는 평생에 세 번이다. 태어날 때, 부모님이 돌아가셨을 때 그리고 마지막으로 나라를 잃었을 때다."

이런 식으로 남자아이는 사회가 추구하는 남성상의 젠더 교육을 영유아 때부터 받게 된다. 결코 타고나는 것이 아니다.

여성성에 대한 교육도 마찬가지다. 대표적인 것이 신데렐라 이야기다. 신데렐라는 착하고 예쁘기 때문에 결국 멋진 왕자님을 만나 인생 역전하고 공주님이 되어 행복하게 산다는 이야기다. 이런 동화를 통해 어린 여자아이들의 머릿속에는 '여자는 착하고 예뻐야 행복하게 산다.'라는 여성상이 깊이 각인된다.

요즘에 TV나 SNS 등을 통해 '꽃미남'이나 '걸크러시'라는 말을 많이 듣는다. 현대사회에서 남성성과 여성성이 변화되고 있음을 상징적으로 보여주는 단어들이다. 과거에는 요리가 주부의 주요 역할이고 의무였지만 이제는 남자 셰프가 대세가 되었고, 거친 스포츠의 세계도 더는 남성들만의 전유물이 아니다.

관심 있게 보는 TV 프로그램인 <연애의 참견>에 이런 제목의 에피소드가 소개된 적이 있다.

'이성에서 온 여자, 감성에서 온 남자.' <화성에서 온 남자, 금성에서 온 여자>라는 책의 제목을 패러디한 거다. 거기서 소개된 에피소드는 책의 내용과 반대되는 상황의 설정이었다. 즉 감성이 풍부한 남성과 이성적이고 논리적인 여성이 커플이 되어 그려내는 사랑 이야기였다.

'메트로섹슈얼'(metrosexual)은 패션과 외모에 많은 관심을 보이는 남성을 일컫는 용어다. 요즘은 연예인뿐만 아니라 평범한 남성도 화장을 하는 등 외모에 신경 쓰는 경우가 많다. 반면에 여성의 남성화를 가리키는 말로는 '콘트라섹슈얼'(contra sexual)이라는 용어를 쓴다. 굳이 번역하자면 '반성별 (反性別)주의자'라 할 수 있는데, 전통적인 여성상을 거부하는 여성으로 보면 될 것 같다.

외래진료를 하다 보면 짧은 머리, 까만색의 굵은 뿔테 안경, 화장기 하나 없는 얼굴, 굵은 남자용 반지에다 팔뚝 문신을 한, 얼른 보면 남자처럼 보이는 여성들을 종종 본다. 이런 여성들도 콘트라섹슈얼리스트라 할 수 있을 것 같다.

진정한 젠더 의식이 무엇인지 한번쯤 다시 생각하게 하는 동화를 한 편 소개한다.

<종이봉지 공주>(로버트 먼치 지음 | 마이클 마르첸코 그림 | 김태희 옮김 | 비룡소 | 1998).

<종이봉지 공주>는 신데렐라 이야기와 정반대로 대비되는 동화다. 왕자가 공주를 구하는 게 아니라 반대로 공주가 용을 물리치고 왕자를 구한다는 게 주요 줄거리인데, 왕자에게 의존하고 사랑받는 것에 만족하는 소극적인 공주가 아니라 자신의 삶을 스스로 선택하는 적극적인 공주에 대한 이야기다. 우리가 흔히 보는 동화 속의 성별을 반대로 뒤집어 편향된 젠더의식을 바로 잡아 주는 새로 운 동화라 할 수 있다.

소통으로 쓰는 성심리학

PART 3

사랑이 무어냐고
물으신다면

사랑은 무엇으로
이루어졌을까?

사랑이 무어냐고 물으신다면 눈물의 씨앗이라고 말하겠노라는 오래된 유행가 가사가 있다. 사랑하는 이가 떠나가면 서로가 괴롭고 슬플 것이니 그렇다는 것이다. 그것은 사랑하고 있는 그때의 순간이 얼마나 기쁘고 행복한가의 반증일지도 모른다.

나에게 사랑이 무어냐고 물어온다면 어떻게 대답해야 할지 잘 모르겠다. 과거에 행복이라는 개념이 뭔가 거창하고 대단한 것으로 생각해서 '난 행복해'라는 표현을 함부로 쓰지 않고 아꼈었는데, 사랑에 대해서도 역시 무언가 아주 크고 완벽한 이미지를 그리고 있기 때문인지도 모르겠다. 이 책을 쓰면서 다시 한 번 사랑이 무엇인가 정의해 보기 위해 내가 경험한 여러 형태의 사랑을 되돌아봤다.

어려서는 고생하며 생활을 꾸려가는 부모님이 안쓰러워서 부모님 속 썩이지 않고 나로 인해 웃을 수 있게 해드리고 싶다는 생각을 했었다. 아마도 연민의 감정이었던 것 같다. 20대 시절 누군가에게 호감을 느꼈을 때는 심장이 두근거리고 상대의 모든 면이 매력적으로 느껴지며 온통 마음이 몰두되었던 열정의 시기가 있었다. 내 아이들에 대해서는 모든 걸 다해주고 싶고 만일 아이가 아프기라도 하면 내 목숨이라도 대신 내주고 싶을 만큼 희생하려는 마음도 있다. 그리고 기상이변이 자주 발생하고 예상치 않은 바이러스의 출현으로 인류가 위험에 처한 상황을 보면서 파괴되고 오염돼 가는 환경을 보호해야겠다는 책임감도 느낀다. 또 매스컴에서 몸이 불편하거나 아픈 사람을 돌보다가 사랑에 빠져 결혼한 부부의 사연을 접하기도 하고 생면부지의 사람을 구하려고 희생한 사람을 보기도 한다.

나 자신이 직간접적으로 경험한 사랑을 떠올리다 보니, 사랑은 연민, 희생, 기쁨, 황홀함, 열정, 헌신, 책임감 등 여러 결의 감정과 사고들이 함께 어우러진 개념으로 여겨진다.

여러 학자들은 남녀 간의 사랑에 대해 어떻게 얘기했을까?

에리히 프롬은 <사랑의 기술>(1956)에서 남녀가 사랑에 빠져서 마음과 육체의 벽을 허물고 일체가 되었다는 확신을 느끼는 그 순간, 기쁘고 황홀하며 그렇게 몰입하는 그 상태가 바로 사랑의 열정이라고 했다. 또 사랑의 열정이 크면 클수록 서로 만나기 전에 얼마나 사무치게 외로웠나를 반증한다고 했다.

에리히 프롬에 의하면 사랑의 행위에는 세 가지 요소가 포함된다.

첫째는 관심이다. 관심이란 상대방의 생명과 성장에 대한 적극적인 관심을 갖고, 사랑하는 사람을 보호하려는 것이다. 두 번째는 책임감이다. 책임감은 외부 요인에 의해 강요되는 것이 아니라 자발적이며, 자신은 물론 상대까지 함께 책임지려는 마음이다. 세 번째는 존중이다. 존중은 있는 그대로의 상대를 인정하고, 그대로 성장하고 발전하기를 바라는 마음이다.

지크 루빈(1973)은 사랑에는 관심, 친밀감, 애착의 세 가지 요소가 포함된다고 주장했다. 여기서 관심은 상대방의 만족과 행복이 자신의 행복만큼이나 중요하다는 느낌이고, 친밀감은 가깝고 은밀한 소통이며, 애착은 그 사람과 함께 있고 싶고 그 사람으로부터 인정받고 싶은 욕구를 말한다.

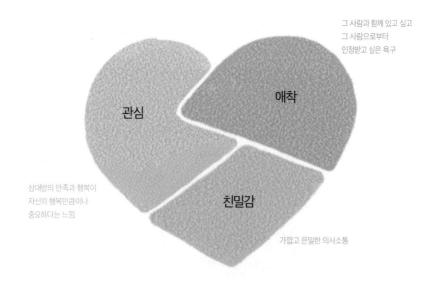

그 사람과 함께 있고 싶고 그 사람으로부터 인정받고 싶은 욕구

애착

관심

상대방의 만족과 행복이 자신의 행복만큼이나 중요하다는 느낌

친밀감

가깝고 은밀한 의사소통

미국의 심리학자 로버트 스턴버그(Robert Sternberg)는 사랑의 세 요소를 친밀감(intimacy)과 열정(passion), 헌신(committment)이라고 봤다.

여기서 잠깐, 스턴버그의 '삼각형 이론 척도'를 기준으로 자신의 사랑은 어떤 유형인지 함께 알아보자. (김경순 논문 참조함)

아래의 문장들은 현재 사귀고 있는 이성 친구에 대한 당신의 심리 상태를 기술한 것이다. 여기서 ○○은 이성 친구의 이름을 뜻한다. ○○에 대한 당신의 상태를 잘 나타내는 정도를 아래와 같이 적절한 숫자에 표시하면 된다.

전혀 아니다	상당히 그렇다	매우 그렇다
1, 2, 3,	4, 5, 6,	7, 8, 9

번호	내용	1 2 3 4 5 6 7 8 9
1	나는 ○○의 행복을 위해서 적극적으로 지원한다.	1 2 3 4 5 6 7 8 9
2	나는 ○○과 따뜻한 관계를 맺고 있다.	1 2 3 4 5 6 7 8 9
3	나는 힘들 때 ○○에게 의지할 수 있다.	1 2 3 4 5 6 7 8 9
4	○○은 힘들 때 나에게 의지할 수 있다.	1 2 3 4 5 6 7 8 9
5	나는 ○○과 나의 모든 것을 공유할 의향이 있다.	1 2 3 4 5 6 7 8 9
6	나는 ○○으로부터 상당한 정서적 지지를 받고 있다.	1 2 3 4 5 6 7 8 9
7	나는 ○○에게 상당한 정서적 지지를 주고 있다.	1 2 3 4 5 6 7 8 9
8	나는 ○○과 말이 잘 통한다.	1 2 3 4 5 6 7 8 9
9	나는 내 인생에서 ○○을 매우 중요시한다.	1 2 3 4 5 6 7 8 9
10	나는 ○○과 친밀감을 느낀다.	1 2 3 4 5 6 7 8 9

11	나는 ○○과 편안한 관계를 느끼고 있다.	1 2 3 4 5 6 7 8 9
12	나는 ○○을 정말 잘 이해하고 있다고 느낀다.	1 2 3 4 5 6 7 8 9
13	나는 ○○이 나를 정말 이해하고 있다고 느낀다.	1 2 3 4 5 6 7 8 9
14	나는 내가 ○○을 정말 신뢰한다고 느낀다.	1 2 3 4 5 6 7 8 9
15	나에 관한 매우 개인적인 정보를 ○○과 공유하고 있다.	1 2 3 4 5 6 7 8 9
16	○○을 보기만 해도 나는 흥분된다.	1 2 3 4 5 6 7 8 9
17	낮에도 ○○에 대해서 생각하는 나 자신을 자주 발견한다.	1 2 3 4 5 6 7 8 9
18	○○과 나의 관계는 정말 낭만적이다.	1 2 3 4 5 6 7 8 9
19	나는 ○○이 매우 매력적이라고 느낀다.	1 2 3 4 5 6 7 8 9
20	나는 ○○을 이상화하고 있다.	1 2 3 4 5 6 7 8 9
21	○○처럼 나를 행복하게 만드는 사람을 상상할 수 없다.	1 2 3 4 5 6 7 8 9
22	나는 다른 어떤 사람보다 ○○과 함께 있고 싶다.	1 2 3 4 5 6 7 8 9
23	○○과의 관계보다 더 중요한 것은 이 세상에 없다.	1 2 3 4 5 6 7 8 9
24	나는 ○○과 신체적으로 접촉하는 것을 특히 좋아한다.	1 2 3 4 5 6 7 8 9
25	○○과의 관계에는 '마술적'인 점이 있다.	1 2 3 4 5 6 7 8 9
26	나는 ○○을 찬미한다.	1 2 3 4 5 6 7 8 9
27	나는 ○○이 없는 인생을 생각할 수 없다.	1 2 3 4 5 6 7 8 9
28	○○과 나의 관계는 열정적이다.	1 2 3 4 5 6 7 8 9
29	낭만적인 영화나 책을 볼 때면 ○○을 생각하게 된다.	1 2 3 4 5 6 7 8 9
30	나는 ○○에 대해서 공상을 하곤 한다.	1 2 3 4 5 6 7 8 9
31	내가 ○○에 대해 염려하고 있다는 것을 알고 있다.	1 2 3 4 5 6 7 8 9
32	나는 ○○과의 관계를 지속시키기 위해 최선을 다하고 있다.	1 2 3 4 5 6 7 8 9
33	다른 사람이 우리 사이에 끼어들지 않도록 나는 ○○에게 헌신할 것이다.	1 2 3 4 5 6 7 8 9
34	나는 ○○과의 관계가 흔들리지 않을 것이라는 점에 대해 자신을 가지고 있다.	1 2 3 4 5 6 7 8 9
35	나는 어떤 난관에도 불구하고 ○○에게 헌신할 것이다.	1 2 3 4 5 6 7 8 9
36	○○에 대한 나의 사랑은 남은 인생 동안 계속되리라고 예상한다.	1 2 3 4 5 6 7 8 9
37	나는 ○○을 위해서 항상 강한 책임감을 느낄 것이다.	1 2 3 4 5 6 7 8 9

38	OO에 대한 나의 사랑은 확고한 것이다.	1 2 3 4 5 6 7 8 9
39	나는 OO과의 관계가 끝나는 것을 상상할 수 없다.	1 2 3 4 5 6 7 8 9
40	나는 OO에 대한 나의 사랑을 확신한다.	1 2 3 4 5 6 7 8 9
41	나는 OO과의 관계가 영원히 지속될 것이라고 생각한다.	1 2 3 4 5 6 7 8 9
42	나는 OO과 사귀는 것을 잘한 결정이라고 생각한다.	1 2 3 4 5 6 7 8 9
43	OO에 대한 책임의식을 느낀다.	1 2 3 4 5 6 7 8 9
44	나는 OO과의 관계를 계속 유지할 작정이다.	1 2 3 4 5 6 7 8 9
45	설혹 OO과 갈등이 생긴다 해도 나는 여전히 우리 관계를 유지할 것이다.	1 2 3 4 5 6 7 8 9

♠ 1번에서 15번까지의 점수를 합산한다. 이 점수가 당신의 친밀감 점수이다.

♠ 16번에서 30번까지의 점수를 합산한다. 이 점수가 당신의 열정 점수이다.

♠ 31번에서 45번까지의 점수를 합산한다. 이 점수가 당신의 헌신 점수이다.

이 세 가지의 조합에 따라 사랑은 여러 가지 형태로 나누어진다.

친밀감만 있는 경우^(우정): 오래 사귀지 않았지만 서로 좋아하게 된 사이.

정열만 있는 경우^(짝사랑): 첫눈에 반해서 사랑하게 된 경우.

빈사랑: 늙어서 같이 살기로 결정하고 만난 경우.

로맨틱 러브 = 친밀감 + 정열: 여름 별장에서 일어난 사랑 같은 것.

동반자적 사랑 = 친밀감 + 헌신: 이미 정열이 시들어버린 오래된 결혼

생활 같은 것.

허구적 사랑 = 정열 + 헌신: 친밀감이 생길 시간도 없이 폭풍처럼 일어난 사랑.

완벽한 사랑 = 친밀감 + 헌신 + 정열: 비교적 드물다.

남성은 주로 육체적인 매력과 사랑을 강조하는 열정적인 사랑의 형태인 에로스적 사랑을 추구한다. 성관계에 있어서도 유희적인 즐거움을 추구하고, 성관계의 기술에 관심을 보인다.

여성은 파트너와의 정서적인 유대를 중시하고, 성행동에 있어서도 언어적인 애정표현과 친밀감을 추구한다.

사랑의 3요소와 성생활과의 관계에 대한 연구(서선영)에 따르면, 결혼한 부부의 경우 남성은 결혼 후에 여성보다 관계에 대한 책임감을 더 빨리 더 크게 느끼며, 성생활의 즐거움을 여성보다 더 많이 추구하기 때문에 성생활에 대한 부담감도 더 크게 느낀다고 한다.

남성은 '열정'이 클수록, 여성은 '친밀감'을 더 많이 느낄수록 성생활의 즐거움이 크다. 또한 남녀 모두 의사소통이 잘 될수록 성생활의 즐거움이 커지고, 둘 사이에 친밀감이 낮을수록 성생활에 대한 부담을 크게 느낀다. 한마디로 성생활에서 중요한 건 남성은 '열정'이고, 여성에게는 '친밀감'이며 둘 사이에 성에 대해 의사소통이 잘 될수록 만족이 크다는 것이다.

그래서 오래 전 마초 같은 남성이 TV에 나와 동굴 저음으로 '사랑과 정열을 그대에게~'라고 외쳤나 보다.

사랑은
호르몬의 장난?

요즘은 연애를 시작하면서 바로 성관계를 가지는 연인들이 많은 것 같다. '꼰대' 소리를 들을지 모르지만 나는 그걸 좀 말리고 싶다. 도덕적이거나 윤리적인 문제가 아니라, 두 사람의 지속적인 관계를 위해서다. 물론 의학적인 근거도 있다.

사랑은 호르몬의 장난이라는 말이 있다. 실제로 그렇다. 사랑은 '추상적인 감정'이라기보다는 '호르몬 작용'에 의한 현상이다. 사랑할 때는 도파민, 에피네프린, 옥시토신, 바소프레신 등 여러 가지 호르몬이 분비된다.

사랑에 빠지거나 사랑에서 빠져나오게 하는 호르몬이 도파민이다. 또한 도파민은 무언가를 갈망하게 만들고, 기억력을 좋게 해주며 상대방을 생각하면 가슴이 뛰고 애틋한 기분이 들게 한다. 또 땀이 날 정도의 흥분을 느끼게 한다. 그러므로 도파민은 의사결정과 행복, 생존에 없어서는 안 되는 물질이다. 하지만 도박이나 권력, 쇼핑이나 비디오 게임, 포르노 등에 중독되는 것 역시 도파민 때문이다. 그래서 애인과 이별했을 때의 실연 증상이 마약 중독자들의 금단 증상과 거의 비슷한 양상으로 나타난다.

옥시토신은 두 사람을 하나로 묶어주는 호르몬이다. 즉 옥시토신은 포옹 호르몬이라 할 수 있다. 사람을 차분하게 만들고 어떤 욕구에 대한 갈망을 가라앉힌다. 상처의 회복을 촉진하고 수명을 늘려줄 수도 있다. 옥시토신은 성적 감수성을 증가시키고 발기부전에 도움이 되며, 성적 즐거움을 준다. 사랑하는 사람과 껴안거나 애인의 사진을 보면 체내에서 옥시토신이 분비되어 진통제 역할을 해주고 또 마음을 평온하게 만든다.

런던대학의 인지신경학 부서에서는 매력적이라고 생각하는 인물의 사진을 보고 있는 사람의 뇌를 MRI 스캔했다. 그 결과 판단력과 연관이 있는 전두피질 그리고 두려움이나 슬픔, 공격성과 연관이 있는 편도체 부분의 활동이 멈추는 것으로 조사되었다. 즉 사랑하는 사람을 상대하고 있을 때는 정상적인 판단이 불가능하다는 것을 뜻한다. 세미르 제키 교수는 이러한 일시적인 판단력의 상실이 생식본능에 따른 것이라고 추정했다. 상대방을 냉정하게 분석하지 않는 것이 남녀가 짝을 이뤄 자손을 생산할 확률을 높이기 때문이다.

또한 사랑하는 사람을 생각할 때는 흥분과 즐거움 등과 관련된 호르몬인 도파민과 아드레날린 수치가 높아진다는 점도 알아냈다. 일각에서는 두려움을 느낄 때와 상대방에게 매력을 느낄 때 모두 아드레날린이 분비되기 때문에 위험한 상황을 함께 겪은 상대에게 더 매력을 느끼는 현상이 일어나는 것이 아닌가 하고 추측하고 있다. 실제로 그런 심리학 실험도 있다. 비슷한 조건의 남성들을 두 집단으로 나누어 한 집단은 위험하고 아찔

한 다리를 건너고 난 직후에, 그리고 다른 집단은 편안하고 안전한 길을 지나온 후에 같은 여성과 각각 인터뷰를 하도록 했다. 그렇게 한 후 두 집단의 남성들에게 그 인터뷰한 여성에 대한 호감도를 조사했는데 위험한 다리를 건넌 남성들이 그 여성을 더 매력적이라고 평가했다. 위험한 다리를 건널 때 후들거리고 심장이 두근거린 것을 인터뷰 여성이 매력적이어서라고 착각한 것이다.

사랑의 단계는 서로 모르는 사이로 만나 썸을 타는 단계에서 시작하여 점차 가까워지는 애착 단계에 접어들고 나중에 성관계를 하는 깊은 단계까지 발전하게 된다. 각 시기 별로 분비되는 호르몬은 다음과 같다.

썸 단계에서는 도파민이 상대방에 대한 호감을 느끼게 한다. 활력이 넘치고 웃음이 많아지고 행복에 도취된다. 먹지 않아도 배부르다.

애착 단계에서는 아드레날린과 세로토닌이 분비되어 상대방의 모든 면이 다 좋아 보이는 콩깍지가 씌워진다. 좋아하는 사람 앞에서는 입이 타고 동공이 확대되고 호흡이 거칠어지며 가슴이 두근거리는 등 교감신경 활성화가 나타난다.

성관계에서 오르가슴을 느끼게 되면 옥시토신과 바소프레신이 분비되는데, 이 두 가지 호르몬은 도파민을 억제시키는 역할을 한다. 도파민이 억제되면 변연계가 있는 중뇌에서 대뇌피질로 가는 신경회로가 억제된다. 중뇌에서 대뇌피질로 가는 신경회로가 활성화되어야 사랑의 감정이 순간적인 열정에서 이성적인 사고에 바탕을 둔 헌신과 책임감을 느끼는 단계로 진행된다.

만일 두 사람이 썸 단계, 애착 단계를 거치기 전에 성관계를 하고 오르 가슴을 느끼면 도파민이 억제되니까 헌신하려는 마음이 생기기 전에 사 랑이 끝나므로 장기적인 사랑으로 이어지지 않는다. 이 때문에 열정이 식 으면 사랑도 쉽게 끝나버린다. '원나잇 스탠드'가 하룻밤 풋사랑으로 끝나 는 이유가 여기에 있다. 이를 호르몬으로 다시 정리해보자면 사랑이 무르 익기 전의 섹스는 옥시토신과 바소프레신만 있고 도파민은 없다. 그래서 단 기적인 관계로 끝나기 쉽다.

사랑의 시작을 언제부터 볼 것인가는 각자 다르겠지만, 누군가에게 어 느 날부터 시선이 가고 관심이 생기기 시작한 그 순간부터 썸을 타는 과정, 손만 잡아도 짜릿짜릿하고 가슴이 뛰고 얼굴이 빨개지는 모든 과정이 다 사랑이고 행복한 시간일 것이다. 하지만 교제 초기 단계에서 섹스를 하고 오르가슴을 일찍 경험하게 되면, 사랑을 나누는 자잘하고 소소한 단계들 을 건너뛰게 된다. 마치 백화점에 간 사람이 에스컬레이터를 타고 층마다 내려서 구경하며 서서히 올라가는 것과 엘리베이터를 타고 맨 꼭대기 층으 로 직행해서 식사만 하고 오는 것의 차이랄까?

사랑하는 연인들이 자잘한 '소확행'을 많이 누리고, 추억의 보물창고를 가득 채우기를 바란다.

돈을 적금통장에 저축하듯이 크고 작은 사랑의 추억을 두 사람 사이에

차곡차곡 쌓아가라. 살다가 두 사람의 관계에 문제가 생겨서 어두워진 삶의 터널을 지나갈 때 그 기억들이 길을 밝혀주는 따뜻한 등불이 되고 마중물이 되어서 관계 회복에 큰 도움이 되어줄 것이다. 둘 사이에 소소하고 행복한 사랑의 기억들은 많으면 많을수록 좋다.

나는 어떤 사랑을
하고 있을까?

'사랑은 마약'이라는 말이 있다. 말 그대로 '첫눈'에 반하는 데 걸리는 시간은 단 몇 초라고 한다. 그 짧은 순간에 페닐에틸아민이라는 신경전달물질이 가득 분비되어 뇌를 자극함으로써 상대를 넋 놓고 멍하게 바라보게 만든다.

하지만 안타깝게도 페닐에틸아민의 분비는 유통기한이 있다. 일반적으로 2년을 넘기지 못한다. 그 기간이 지나면 놓았던 정신줄을 다시 잡게 된다. 이때부터 사랑의 화학적 단계는 끝나고 사회학적 단계로 넘어가게 된다. 그런데 페닐에틸아민을 평생 분비하는 부부가 꽤 존재한다고 한다. 어쩌면 이런 부부야말로 천생연분이 아닐까 싶다.

이제 '정열적 사랑'과 '동반적 사랑'에 대한 이야기를 해보자.

정열적 사랑이란 서로에 대해 강한 신체적 흥분을 느끼고 강한 집착을 보인다. 첫눈에 반하는 사랑도 정열적 사랑의 한 형태다. 일반적으로 사랑에 빠진 대학생 중 40% 정도가 정열적 사랑에 해당된다고 한다. 낭만적인 정열은 시간이 흐르면 점차 사그라지는 게 일반적이다. 호감은 지속되지만 정열은 교제 기간과 반비례해서 줄어든다.

프랑스의 소설가 스탕달은 사랑의 열정에 대해 "상대방의 실제 모습에 대한 사랑이 아니고 완벽한 가상적 이미지에 대한 사랑"이라고 하였다. 즉 상대방에 대한 풍부한 상상력의 결과로 만들어진 이미지에게로의 끌림이 열정이라는 것이다. 스탕달의 관점에서 보면 정열적 사랑이란 곧 허상에 대한 사랑이다.

국내 연구에서도 열정이 높은 사람이 열정이 낮은 사람보다 지적 호기심이 더 높다고 증명되었다. 열정이 높은 사람은 상상력이 더 풍부하다는 뜻이다.

정열적 사랑은 시간이 흐르면서 처음에 느꼈던 신선함이 없어져 서로 기대했던 이상적 상이 실제 모습과 괴리가 있음을 깨닫게 된다. 그러면서 성격 차이나 성장환경의 차이 때문에 갈등을 일으키게 되고 사랑이 점점 식어가게 된다. 이때 친밀감이 더 깊어지면 관계가 이어지는데, 깊어지지 못하면 관계가 끝나게 된다.

'정열적 사랑'에 빠져 성관계를 너무 빨리 시작할 경우 이런 단계가 더 빨리 진행될 수 있다. 서로의 차이와 갈등을 극복하려는 인지적 의지가 생기기도 전에 마음이 식기 때문이다.

동반적 사랑은 정열적 사랑과 같은 강렬한 감정은 없지만 상대방에 대한 친밀감과 신뢰를 가진 상태를 말한다. 또한 서로의 장·단점을 받아들이고 상대방의 요구를 채워주고 헌신하려는 마음을 가지고 있는 상태다. 동반적 사랑을 하고 있는 두 사람은 연인이자 세상에서 가장 절친한 사이가 된다.

존 앨런 리(John Allan Lee)는 '사랑의 컬러 휠(Color Wheel) 모델'을 통해 사랑을 6가지 종류로 구분했다.

> 낭만적 사랑(eros): 강한 감정적인 육체적 끌림.
>
> 소유적 사랑(mania): 소유욕이 강한 고통스러운 사랑.
>
> 유희적 사랑(ludus): 이기적인 사랑, 게임과 비슷한 양상.
>
> 실용적 사랑(pragma): 현실적인 사랑.
>
> 우애적 사랑(storge): 우정.
>
> 희생적 사랑(agape): 헌신적인 사랑.

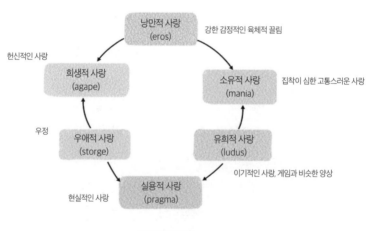

사랑의 컬러 휠

1995년에 개봉된 고전 명작 영화 <매디슨 카운티의 다리>(The Bridges Of Madison County, 1995)도 두 가지 모습의 사랑을 생각하게 한다. 여주인공 메릴 스트립은 잡지에 실을 다리 사진을 찍기 위해 매디슨 카운티를 찾아온 사진작가 클린트 이스트우드와 짧지만 강렬한 사랑에 빠진다. 전형적인 정열적 사랑이다. 하지만 작업을 마친 클린트 이스트우드는 곧 매디슨 카운티를 떠나야 한다. 이제 메릴 스트립은 선택의 기로에 놓이게 된다. 정열적 사랑을 쫓아 떠날 것인가, 동반적 사랑(가정과 남편)을 지킬 것인가… 비가 세차게 오는 날, 결국 메릴 스트립은 동반적 사랑을 택해 남게 되고, 혼자 길을 떠나는 클린트 이스트우드의 뒷모습을 눈물을 글썽이며 바라본다. 꽤나 깊은 인상을 남긴 영화였는데, 30대 시절에 보았을 때와 40대가 넘어 인생을 좀 알 만한 나이에 봤을 때 영화의 느낌은 완전히 달랐다. 정열적 사랑과 동반적 사랑의 차이를 조금이나마 알게 되었기 때문이었을까?

이외에도 사랑의 종류를 생각해볼 수 있는 영화가 몇 편 있다. <초이스>와 <애프터>, <센스 앤 센서빌리티> 등이다.

벤자민 워커(트래비스 파커)와 테레사 팔머(개비)가 열연한 영화 <초이스>(The Choice, 2016)는 여러 가지 사랑의 형태를 동시에 보여준다. 주인공 개비는 의사였던 약혼자와 실용적 사랑을 하다가 옆집 남자와 낭만적 사랑에 빠졌다. 실용적 사랑보다 낭만적 사랑을 '초이스'한 것이다. 그리고 나중에 식물인간이 된 아내 개비를 지극정성으로 돌보는 남편 파커의 사랑은 낭만적 사랑이 헌신적 사랑으로 바뀐 것이라 할 수 있다.

'유희적 사랑'이 진실한 사랑으로 변해가는 모습을 잘 보여주는 영화는 히어로 파인즈 티핀(하딘 스콧)과 조세핀 랭포드(테사 영)가 열연한 청춘 로맨스 <애프터>다.

엠마 톰슨(엘리노어 대쉬우드)과 케이트 윈슬렛(마리안 대쉬우드)이 주연을 맡은 <센스 앤 센서빌리티>(Sense And Sensibility, 1995)는 사별한 부인과 그의 세 딸 이야기다.

세 딸 가운데 큰딸은 신중하고 품위를 지키며 좋아하는 마음을 은근히 감추는 이성적 사랑을 한다. 집에 자주 놀러오는 백작을 좋아하지만 겉으로 드러내지 않고 혼자 은근히 속으로 삭인다. 반면에 둘째 딸 마리안은 감정을 속이지 않고 드러내는 열정적 사랑을 한다. 열정적인 만큼 배신당했을 때 충격도 크게 받는다.

라스웰과 핫코프(Lasswell & Hatkoff, 1980)가 개발한 '사랑의 유형 척도'를 가지고 자신의 사랑 유형을 알아보자. (김경순 논문 참조함)

지시사항

검사 문항에 답할 때는 '그렇다' 혹은 '아니다'로 답해야 하며, '때때로'나 '아마도'와 같은 중간 단계는 허용되지 않는다. 가급적 순서대로 답하고, 중간에 빠뜨리는 문항이 있어서는 안 된다. 그렇다, 아니다라고 답하기 어려운 경우에는 평소 갖고 있던 생각이나 태도에 가장 가까운 것을 답으로 하는 것이 좋다.

1. 나는 '첫눈에 반한다.'는 것이 가능하다고 생각한다.

2. 나는 한참 지난 다음에야 비로소 내가 사랑하고 있음을 알았다.

3. 우리 사이의 일이 잘 풀리지 않으면 소화가 잘 되지 않는다.

4. 현실적인 관점에서, 나는 사랑을 고백하기 전에 먼저 나의 장래 목표부터 생각해보지 않으면 안 된다.

5. 먼저 좋아하는 마음이 얼마 동안 있은 다음에 비로소 사랑이 생기게 되는 것이 원칙이다.

6. 애인에게 나의 태도를 다소 불확실하게 해두는 것이 언제나 좋다.

7. 우리가 처음 키스하거나 볼을 비볐을 때, 나는 성기에 뚜렷한 반응(발기, 촉촉함)이 오는 것을 느꼈다.

8. 전에 연애 상대였던 사람들 거의 모두와 나는 지금도 좋은 친구 관계를 유지하고 있다.

9. 애인을 결정하기 전에 인생 설계부터 잘 해두는 것이 좋다.

10. 연애에 실패한 후 너무나 우울해서 자살까지 생각해본 적이 있다.

11. 사랑에 빠지면 매우 흥분되어 잠을 이루지 못할 때가 있다.

12. 애인이 어려운 처지에 빠지면 설사 그가 바보처럼 행동한다 하더라도 힘껏 도와주려고 한다.

13. 애인을 고통받게 하기보다는 차라리 내가 고통받겠다.

14. 연애하는 재미란 두 사람 간의 관계를 발전시키면서 동시에 내가 원하는 것을 거기서 얻어내는 재주를 시험해 보는 데 있다.

15. 사랑하는 애인이 나에 관해 다소 모르는 것이 있다 하더라도 그것 때문에 그렇게 속상해하지는 않을 것이다.

16. 비슷한 배경을 가진 사람끼리 사랑하는 것이 가장 좋다.

17. 우리는 만나자마자 서로가 좋아서 키스를 했다.

18. 애인이 나에게 관심을 보이지 않으면 나도 결코 행복해질 수 없다.

19. 나의 애인이 행복하지 않으면 나도 결코 행복해질 수 없다.

20. 제일 먼저 나의 관심을 끄는 것은 대부분 그 사람의 외모다.

21. 최상의 사랑은 오랜 기간의 우정으로부터 싹튼다.

22. 나는 사랑에 빠지면 다른 일에는 도무지 집중하기가 힘들다.

23. 그^(녀)의 손을 처음 잡았을 때 사랑의 가능성을 감지했다.

24. 어떤 사람하고 헤어지고 나면 그 사람의 좋은 점을 발견하려고 무진 애를 쓴다.

25. 애인이 다른 사람하고 같이 있는 것 같은 생각이 들면 견딜 수가 없다.

26. 나의 애인 두 사람이 서로 알지 못하도록 교묘하게 재주를 부린 적이 적어도 한 번은 있다.

27. 매우 쉽고 빠르게 사랑했던 관계를 잊어버릴 수 있다.

28. 애인을 결정하는 데 가장 고려해야 할 점은 그가 우리 가정을 어떻게 생각하는가 하는 것이다.

29. 사랑에서 가장 좋은 것은 둘이 함께 살며, 함께 가정을 꾸리고 함께 아이를 키우는 것이다.

30. 애인이 원하는 것을 위해서라면 기꺼이 내가 원하는 것을 희생할 수 있다.

31. 배우자를 결정하는 데 있어 가장 먼저 고려해야 할 점은 그가 좋은 부모가 될 수 있겠는가 여부다.

32. 키스나 포옹이나 성관계는 서둘러서는 안 된다. 서로 충분히 친밀해지면 자연스럽게 이루어진다.

33. 매력적인 사람들과 바람피우는 것을 좋아한다.

34. 나와 다른 사람들 사이에 있었던 일을 애인이 알게 된다면 매우 속상해할 것이다.

35. 연애를 시작하기 전부터 나의 애인이 될 사람의 모습을 분명히 정해 놓고 있다.

36. 만일 애인이 다른 사람의 아기를 갖고 있다면 그 아이를 내 자식처럼 키우고 사랑하며 보살펴줄 것이다.

37. 우리가 언제부터 서로 사랑하게 되었는지 정확히 알 수 없다.

38. 결혼하고 싶지 않은 사람하고는 진정한 사랑을 할 수 없을 것 같다.

39. 질투 같은 것을 하고 싶지 않지만, 애인이 다른 사람에게 관심을 가진다면 참을 수 없을 것이다.

40. 내가 애인에게 방해물이 된다면 스스로 포기하겠다.

41. 내 애인과 똑같은 옷, 모자, 자전거, 자동차 등을 갖고 싶다.

42. 연애하고 싶지 않은 사람하고는 데이트를 하고 싶지 않다.

43. 우리들의 사랑이 이미 끝났다고 생각될 때도 그를 다시 보면 옛날 감정이 되살아나는 때가 적어도 한 번쯤은 있었다.

44. 내가 가지고 있는 것은 무엇이든지 애인이 마음대로 써도 좋다.

45. 애인이 잠시라도 내게 무관심해지면 나는 그의 관심을 끌기 위해 때로는 정말 바보 같은 짓을 할 때가 있다.

46. 깊이 사귀고 싶지는 않아도 어떤 상대가 나의 데이트 신청에 응하는지를 시험해보는 것도 재미있는 일이다.

47. 상대를 택할 때 고려해야 할 한 가지 중요한 점은 그가 자신의 직업을 어떻게 생각하는가 하는 것이다.

48. 애인과 만나거나 전화한 지 한참 되었는데도 아무 소식이 없다면 그 (녀)에게 그럴 만한 이유가 있기 때문이다.

49. 누구와 깊게 사귀기 전에 우리가 아기를 가지게 될 경우 그쪽의 유전자 배경이 우리와 잘 맞는지부터 먼저 생각해본다.

50. 가장 좋은 연애 관계란 가장 오래 지속되는 관계다.

♠ '사랑의 유형 척도 검사' 채점법

각 척도별로 '그렇다'로 대답한 문항의 수를 합치기만 하면 된다. 합친 수를 척도별로 퍼센트를 계산하여 백분율 값이 가능 높은 척도가 자신의 애정형을 나타낸다.

가장 좋은 친구	이타적	논리적	소유적	낭만적	유희적
2	12	4	3	1	6
5	13	9	10	7	14
8	19	16	11	17	15
21	24	28	18	20	26
29	30	31	22	23	27
32	36	38	25	33	33
37	40	42	39	35	34
50	44	47	43	41	46
	48	49	45		
합계( )	합계( )	합계( )	합계( )	합계( )	합계( )

사랑할 때는
눈높이를 맞춰라

사람들은 사랑을 운명적이며 저절로 오는 것이라고 생각하는 경향이 있다. 사랑이 식으면 상대방 탓이며 애초에 상대를 제대로 파악하지 못하고 잘못 선택했기 때문이라고 생각한다. 그러나 모든 기술과 마찬가지로 사랑 역시 이론과 기술을 배우고 실천 방법을 숙달해야 지속해 갈 수 있다. 사랑은 수동적 감정이 아니라 적극적 활동이며 빠지는 것이 아니라 참여하는 것이기 때문이다.

학생에게 '국영수'가 필수과목이듯 사랑 역시 일생을 통해 배워야 할 필수과목이다. 그래서 에리히 프롬은 "사랑은 배우고 익혀야 할 기술"이라고 하였다.

처음 사랑을 시작할 때는 항상 들떠 있어서 먹지 않아도 배고프지 않고 황홀하고 그 감정이 영원할 것처럼 느낀다. 노력하지 않아도 사랑을 느낄 수 있다. 상대방이 완벽하게 보이고, 상대방이 하는 행동이 모두 사랑의 표현으로 느껴진다. 그러나 얼마 후(평균 2년) 현실이 찾아온다. 상대방의 약점이나 결점이 보이기 시작한다. 사랑의 진정성이 의심되기 시작한다. 상대방이 변했다고 생각된다. 콩깍지가 벗겨진 것이다.

세 번째는 진정한 사랑의 시간이다. 상대방의 실제 모습을 파악한 후에 설사 좋지 않은 면이 있을지라도, 그럼에도 불구하고 사랑하게 된다. 진정한 사랑을 하기 위해서는 노력이 필요하다. 상대방이 나의 사랑을 느낄 수 있으려면 이해와 헌신이 필요하며 의사소통을 효과적으로 잘 해야 한다.

사람마다 자신만의 사랑 표현방식이 있는데, 상대방의 방식으로 표현해야 사랑이 전달된다. 커플 사이에서도 사랑을 표현하는 방식이 서로 다를 수 있다. 화성에서 온 남자와 금성에서 온 여자다. 이 때문에 사랑이 제대로 전달되지 못하고 오히려 오해와 상처가 쌓이면서 심한 경우 결별에 이르기까지 한다. 사랑하지 않아서가 아니라 사랑이 제대로 소통되지 않기 때문이다. 서로 사랑하면서도 사랑을 느끼지 못하는 이유는 서로 다른 사랑의 언어를 사용하기 때문이다. 사랑의 언어가 서로 다르면 소통되지 않는다. 외국어를 배우듯이 상대방의 사랑의 언어를 배워야 한다. 눈높이 사랑이다.

인간관계 전문 상담가인 게리 채프먼 박사는 커플이 올바른 사랑을 나누기 위해서는 '함께 살아가는 기술'이 필요하다고 말한다. 채프먼은 <다섯 가지 사랑의 언어>라는 책을 통해 '인정하는 말, 함께하는 시간, 선물, 봉사, 스킨십' 등이 커플이 함께 어울려 잘 살아가는 기술이라고 하였다. 채프먼에 의하면 다섯 가지 사랑의 언어를 사용하기 위해서는 몇 가지 전제

조건이 필요하다.

먼저, 연애감정은 일시적이다. 사랑을 지속하기 위해서는 의지적 노력이 필요하다. 사랑에는 유통기간이 있어서 영원히 지속되지 않는다. 커플 모두 의지적 노력이 필요하다.

두 번째는 사람마다 사랑을 표현하는 고유한 방식이 있다. 예를 들어 남편은 스킨십을 통해 사랑을 표현하고 아내는 '고맙소. 고생하오.'라는 남편의 따뜻한 격려의 말에서 사랑을 느낄 수 있다.

세 번째는 상대방이 알아들을 수 있는 사랑의 방식으로 표현해야 한다. 한글과 영어가 다르듯이 나의 사랑의 표현 방식과 상대방의 사랑의 방식이 다를 수 있으므로 상대방이 사용하는 사랑의 방식을 배워야 한다. 예를 들어 아내가 인정을 받기를 원한다면 남편은 '당신이 애써줘서 고마워요, 사랑스러워요, 난 당신의 남편이라는 것이 자랑스러워요' 등 아내를 인정하는 말을 표현해주어야 한다. 반면에 아내는 무심한 듯 말없는 남편의 행동 속에서도 사랑을 읽어내는 심안이 있어야 서로 잘 지낼 수 있다.

<이솝우화>의 '여우와 두루미' 이야기는 진정한 '사랑의 언어'가 무엇인지 알려준다.

여우와 두루미는 진심으로 서로 좋아하는 사이이다. 그래서 서로 초대하여 자신이 제일 좋아하는 음식을 정성껏 대접했다. 두루미는 평소 자신이 사용하던 목이 긴 호리병에 음식을 담아 여우에게 줬고, 여우는 넓적한 접시에 음식을 담아 두루미에게 주었다. 하지만 정성스러운 마음에도 불구하고 상대

는 먹고 싶어도 제대로 먹을 수가 없었다. 사용하는 '그릇'이 서로 달랐기 때문이다.

'진실은 언젠가 통한다.'라는 말도 있지만, 사랑은 진심만으로 부족하다. 나의 사랑을 효과적으로 전달하기 위해서는 상대방이 사용하는 사랑의 표현방식을 기꺼이 배우고, 내가 사용하는 사랑의 표현방식은 무엇이며 상대방의 방식과 무엇이 다른지 알아야 한다. 나는 사랑을 표현했지만 상대가 그 메시지를 전달받지 못하는 이유는 나의 방식이 그에게는 낯선 것이기 때문이다. 매우 당혹스럽겠지만, 지금 이 책을 읽는 독자와 자신의 파트너가 부부든 연인 사이든 간에 두 사람의 사랑 표현방식이 같은 경우는 사실 매우 드물다. 만일 자신의 사랑을 상대방에게 통하는 방식으로 표현할 수 있고, 상대방의 사랑 표현방식을 잘 이해하고 수용할 수 있다면 이별이나 이혼은 훨씬 줄어들 것이다.

자신의 사랑 표현 방식을 알아보는 세 가지 방법

1. 파트너가 나에게 깊은 상처를 주는 것은 무엇인가? 그와 정반대되는 것이 바로 나의 사랑의 언어일 수 있다.
2. 내가 파트너에게 가장 많이 요구하는 것은 무엇인가? 그것이 바로 내가 사랑을 가장 많이 느끼는 것일 수 있다.
3. 나는 파트너에게 어떻게 사랑을 표현하는가? 그것이 바로 내가 사랑을 느끼는 것일 수 있다.

잘 모를 때는 다음과 같은 질문을 스스로에게 던져보자.

- 내가 상대방의 어떤 면을 좋아했지? 무엇 때문에 그와 함께 있고 싶
  어 했지?
- 내가 생각하는 이상형은 무엇인가? 완벽한 애인은 어떤 형의 사람
  인가?

함께하는 활동

나는 파트너가 "_____" 할 때 가장 사랑받는다고 느낀다.

상대방이 함께 있어주는 것이 자신에게 중요하다면 그것을 상대에게 말로 표현하라. 아무런 말을 하지 않아도 내 마음을 읽고, 알아서 무언가를 해주리라 기대하지 말라.

상대방이 "'오늘 밤' 혹은 '내일', '오늘 오후'에 당신이 나와 함께 있으면 좋겠어요."라고 말할 때 그 요구를 진지하게 받아들여라. 당신이 생각하기에 대수롭지 않은 것 같아서 그 요구에 반응하지 않는다면, 상대방은 당신의 의도와 전혀 다른 메시지로 받아들이게 된다.

진정한 사랑을 지켜나가기 위한 다섯 가지 요소 중에서 특히 빼놓을 수 없는 게 스킨십이다. 스킨십은 '애무'라는 구체적인 행위를 통해 내면의 충만함이 상대에게 전달되고, 촉감은 두 사람의 사랑을 실감나게 하고 내적 친밀감을 느끼게 한다. 성행위를 통해 몸의 다양한 감각을 느끼게 되고, 상대와 하나가 되는 듯한 몸과 마음의 체험은 상대의 몸을 마치 자신의 몸처

럼 느끼게 한다.

헤일리 루 리차드슨(스텔라)과 콜 스프로즈(윌)가 주연한 <파이브 피트>
(Five Feet Apart, 2019)는 스킨십의 중요성을 잘 보여주는 영화다.

이제 막 사랑을 시작하는 연인뿐 아니라 매일 아옹다옹하며 살고 있는 부부
에게도 꼭 필요한 것이 스킨십이다. 주인공 둘은 서로 앓고 있는 병 때문에
감염 위험성을 피해서 사람들과 5피트 이상 거리를 지켜야 한다. 접근금지,
허그 금지, 키스금지인 '가까이하기엔 너무 먼 당신'으로 살아야만 하는 두
남녀의 사랑 이야기를 다룬 <파이브 피트>가 말하는 메시지는 시작부터 끝
까지 명료하다. 관계에서 '스킨십'의 중요성이다.

위기를 막아주는
마음속의 사랑 탱크

모든 사람의 내면에는 사랑으로 채워지길 기다리는 정서 탱크(emotional tank) 즉 사랑 탱크가 있다. 아이가 누군가에게서 진정으로 사랑받고 있다고 느낄 때 그 아이는 어려운 상황에서도 따뜻함을 지닌 채 잘 성장하지만, 그 탱크가 비었을 때는 마음이 추운 상태로 자라게 된다. 사랑받고 싶은 욕구는 인간의 가장 기본적인 정서적 욕구다. 볼비(J. Bowlby)가 제시한 '애착이론'도 결국은 사랑과 관련된 이야기다. 즉 아이들은 무조건 자신이 사랑받는다는 걸 느껴야 정서적으로 안정된다. 아이들의 기본적인 정서적 욕구는 누군가에게 소속되어 있고 소중한 사람이라는 것을 느끼게 해주는 사랑과 애정의 욕구다. '세상에 단 한 명이라도 자신의 말을 들어주고, 자신을 이해해주고, 사랑해주는 사람이 있다면 그는 극단적인 선택을 하지 않는다.'라고 하지 않던가.

정신과 의사 로스 캠벨은 수많은 아이들의 탈선은 비어있는 사랑 탱크가 채워지기를 갈망하는 데서 시작된다고 했다. 잘못된 행동을 통해서라도 관심을 받고 사랑을 받으려고 하는 무의식적 의도가 작동한다는 것이다. 어렸을 때 사랑 탱크가 충분히 채워지지 않으면 평생을 허기져서 동동 대며 살아간다. 부모에게서 사랑과 인정을 받지 못해 다른 사람에게서 사랑을 구걸하는 것이다.

자동차의 연료 탱크를 적당한 수준에서 유지시키듯, 사랑 탱크도 언제나 충분한 사랑의 레벨을 유지시켜야 한다. 자동차에 연료를 주입하지 않고 계속 운행하면 길을 가다가 갑자기 멈출 수 있다. 또 자주 그런 일이 반복되면 자동차 엔진이 망가져 수명이 단축될 수도 있다. 결혼생활을 하면서 사랑 탱크를 수시로 채워 넣지 않는다면 기름을 넣지 않고 자동차를 운전하는 것보다 더 위험하다. 적금통장에 돈을 적립하듯 사랑의 탱크에 언제나 충분한 사랑을 채워야 한다.

사람들은 자신의 사랑 탱크가 웬만큼 차면 이전과는 다르게 행동한다. 사랑 탱크가 비었을 때는 최우선으로 사랑과 관심을 갈구하지만 탱크가 차면 다른 생산적인 일에 관심을 가질 수 있게 된다. 배가 고픈 사람이 길을 걸어가면 음식점 간판이 눈에 먼저 들어오고 코끝에 음식냄새가 더 민감하게 느껴지지만 일단 배가 부르면 음식에는 별 관심이 생기지 않고 다른 것에 관심을 돌릴 여유를 찾게 되는 것과 같다.

사랑 탱크 점검

3주 동안 일주일에 세 번씩 파트너(배우자)에게 다음과 같이 질문하고 기록해보자.

- 0부터 10까지 중 당신의 사랑 탱크 눈금은 몇인가?
- 어떻게 하면 사랑 탱크를 채울 수 있을까?

파트너를 만날 때
고려할 것 1 - 애착유형

'나를 키운 건 팔 할이 바람이었다.'

미당 서정주 시인이 23세 때 지은 시 '자화상'에 나오는 문구다. 종노릇하는 아버지, 늙은 할머니, 빈곤에 시달리는 어머니가 자신의 2할을 키워주었고, 나머지 8할은 젊음의 방황과 시련이 키웠다는 의미라고 한다.

'나를 만든 건 팔 할이 애착이었다.'

나는 서정주 시인을 패러디해서 이렇게 쓰고 싶다. 여기서 '나'는 '나의 성격'을 뜻한다. 한 사람의 인성, 성격을 형성하는 데는 여러 가지 요건들이 작용하겠지만 그 무엇보다 먼저 '애착'을 꼽고 싶다. 어린 시절의 '애착 형성'이 한 사람의 인생 전반에 얼마나 중대한 영향을 미치는지 실감하기 때문이다.

애착이란 존 볼비(John Bowlby, 1969)가 처음 제안한 개념으로, 어린 시절 자신을 양육한 가장 가까운 사람(부모, 주로 엄마)과 강한 감정적 유대를 형성하는 것을 말한다. 어린 시절에 형성된 애착유형은 성인이 된 이후에도 대인관계에 큰 영향을 미치게 된다. 애착을 강조하는 이유가 여기에 있다. 세상에 태어나 처음 만난 양육자와 어떤 믿음을 형성했느냐가 평생의 대인관계에 영향을 주기 때문이다.

부모가 자녀를 양육할 때는 일관성 있는 태도로 아이를 대하고 아이에게 필요한 물리적, 정서적인 욕구를 민감하게 잘 살피고 채워주어야 한다. 일관성이 있다는 것은 변덕스럽지 않고 일정하다는 것이다. 즉 주변 상황이나 부모의 컨디션에 따라 들쭉날쭉하지 않아야 한다.

아이의 희로애락의 감정을 민감하게 알아주고 공감해주면 아이는 사랑을 받는다고 느낀다. 세상에 대해 우호적인 마음을 갖게 되고, 따뜻한 안정감을 느끼게 된다. 그리고 자존감이 높고 독립적이며 주체적인 사람이 된다.

'내가 하는 일은 분명히 다 잘 될 거야.'라는 믿음이 있어서 웬만한 시련에도 긍정적인 태도로 임하기 때문에 회복이 빠르고 잘 헤쳐 나간다. 이런 유형을 안정형 애착이라고 한다. 안정형 애착유형은 상대를 많이 힘들게 하지 않는다. 어린 시절 엄마에게서 따뜻함을 경험했기 때문에 배우자나 친구, 동료 관계에서도 말이나 행동을 곡해하지 않고 진심으로 받아들인다. 구김살이 없고 해맑은 사람들이 안정형인 경우가 많다. 이성과 친해지는 상황도 자연스럽게 받아들이며, 결혼에 대한 만족도도 가장 높다. 남녀 모두 안정적인 사랑유형일 때 이상적인 부부가 된다.

그에 비해 엄마의 관심이나 사랑이 일관성이 없는 경우에는 엄마의 사랑을 차지하기 위해 동생과 경쟁을 하거나 때리기도 한다. 이런 경우 열등 감과 경쟁심, 욕심이 많은 불안정 애착유형이 된다. 불안정 애착유형은 세 종류가 있는데, 저항형과 회피형 그리고 두 가지가 합해진 혼란형이 있다.

불안정 저항형의 사람들은 자주 타인을 의심하고 화를 낸다. 감정기복이 심하고 성인이 되어 조울증에 걸리는 경우도 많다.

어린 시절 부모가 맞벌이로 바빠서 또는 엄마가 아파서 투병하느라 혼자 남겨졌다거나 할머니 손에서 큰 경우 불안정 회피형이 많다. 부모의 사랑을 갈구하지만 기다리고 기다려도 사랑이 채워지지 않기에 '그래 난 혼자야, 엄마는 날 사랑하지 않아'라고 생각하며 포기한다. 기약 없는 기다림이 고통스럽고 불안하기 때문에 아예 포기해버리는 것이다. 이성과 친해지는 것에 막연한 두려움과 거부감을 느끼며, 어느 정도 거리감을 두고 냉담한 관계를 유지해야 마음이 편하다.

혼란형은 부모가 경제적으로 어려워서 혹은 스트레스나 우울증 등으로 아이를 제대로 돌봐주지 못한 경우, 아이가 가정 내에서 신체적, 정서적인 학대를 받은 경우에 생기기 쉽다. 어렸을 때 느꼈던 분노가 성격 형성에 영향을 줘서 행동 통제나 감정 조절을 어렵게 만든다. 타인과 친밀해지고자 하는 욕구는 강하지만 자신감도 없고 타인에 대한 믿음도 부정적이다. 친해져서 상대가 자신의 참모습을 알게 되면 자신을 싫어하게 될 것이고 결국 자신이 상처를 입을 것이라고 생각한다.

드라마나 영화의 주인공들은 대부분 불안정 애착유형의 소유자들이다.

그래야 갈등이 많고 얘깃거리가 풍부해지기 때문이다. 현실의 배우자감으로는 기피 대상일 극단적인 사랑유형의 주인공을 드라마에서는 분위기 있고 멋진 성격으로 둔갑시켜버린다. 이러한 스토리에 자신도 모르게 세뇌된 젊은이들은 안정적 사랑유형의 사람을 매력 없는 밍밍한 사람으로 평가절하 해버리기 쉽다. 대중매체 속의 사랑 유형은 여러 가지 편견과 왜곡된 가치관을 암암리에 보여주고 있다는 것을 기억하자. 지금도 많은 사람들이 기억하는 드라마 <꽃보다 남자>의 꽃미남 4인방 가운데 늘 친구들에게 까칠하고 못되게 굴었던 주인공도 불안정 애착유형이라 할 수 있다.

대부분의 사람은 안정 애착유형에 속한다. 이들의 친구나 애인 관계는 안정적이고 오래가며 만족스럽다. 상황이 불안하고 안 좋을 때는 서로 정서적으로 지지를 주고받으며 잘 넘어간다.

반면에 불안정 애착유형은 다른 사람과의 만남에서 서글픔, 좌절, 걱정, 긴장을 많이 경험하고, 이성과의 만남도 지속시간이 짧고 불편한 양상을 보인다. 고독한 사람들은 불안정 애착유형인 경우가 많다. 다른 사람과 친밀한 관계를 형성하는 것을 꺼리고, 불안과 부끄러움을 많이 느낀다. 또한 자기 자신에 대해 얘기하는 것도 꺼린다. 늘 정서적으로 뭔가 고프다.

어린 시절의 애착유형이 성인이 된 뒤 대인관계에 큰 영향을 미치는 것은 사실이지만, 절대적인 것은 아니다.

나중에 불안정 애착유형도 자신의 모습을 있는 그대로 수용 받고 이해 받는 경험을 하면 안정적인 유형으로 바뀔 수 있다. 좋은 상담자를 만나 상담을 통해 치유될 수도 있고, 결혼, 데이트, 친구, 선생님, 동료 등을 통해 신뢰 있는 안정된 관계를 경험하면 어느 사이에 세상에 대한 믿음을 회복하고 치유가 된다. 낙망에 빠진 사람이 자살을 시도하려다가 그 순간에 단 한 사람이라도 마음에 떠오르는 사람이 있다면 멈추게 된다고 한다. 세상에 수많은 사람들이 있지만 실의에 빠져 삶을 포기할 순간, 그를 구해줄 사람은 단 한 명으로 충분하다.

자기 자신이 어떤 애착유형에 속하는지를 정확히 인지하고 대인관계에서 갈등이 느껴질 때 애착을 기억하는 것만으로도 의미가 크다. 갈등의 원인을 상대 탓으로만 돌리지 않고 좀 더 객관적으로 볼 수 있기 때문이다.

성장기에 부모에 의해 애착유형이 결정됐다고 해서 부모님 원망만 하고 살 수는 없다. 나를 잘 돌봐주지 못했던 부모 역시 나름의 상처를 안고 삶을 힘겹게 버텨내며 살았을 것이다. 나의 과거에 대한 관점을 새롭게 조명한다면 이를 통해 현재의 관계가 회복될 수 있다. 그리고 타인과 갈등이 생길 경우, 문제의 원인이 그 사람이 아니라 바로 나 자신에게 있을 수 있다는 것을 인식하게 된다. 자신을 먼저 제대로 알아보고 상대방을 대하는 지기지피(知己知彼)를 해야 갈등이 제대로 풀린다. 지피지기(知彼知己)가 아니라 선(先) 지기(知己), 후(後) 지피(知彼)다.

나의 애착유형을 제대로 파악하는 일은 곧 내가 가지고 있는 가시가 어떤 것인지 알아내는 것과 같다. 내 몸에 돋아 있는 가시에 대해 미리 제대로 알면 상대방에게 상처주지 않으면서 서로 온기를 나눌 수 있는 적당한 거리를 찾아낼 수 있을 것이다. 상대를 바꾸는 일은 정말 어렵지만, 자신을 바꾸는 건 가능하기 때문이다. 즉 내 힘으로 바꿀 수 있는 유일한 사람은 오로지 나 자신뿐이다. 나의 애착유형을 분석하는 것은 나를 바꾸는 바로 그 출발점이다.

참고로 자신의 애착유형을 찾아내는 간단한 테스트를 하나 소개한다.
(정현숙 논문 참조함)

	문항	전혀 그렇지 않다	그렇지 않다	보통 정도 이다	대체로 그렇다	매우 그렇다
1	내가 얼마나 호감을 가지고 있는지 상대방에게 보이고 싶지 않다.					
2	나는 버림을 받는 것에 대해 걱정하는 편이다.					
3	나는 다른 사람과 가까워지는 것이 매우 편안하다.					
4	나는 다른 사람과의 관계에 대해 많이 걱정하는 편이다.					
5	상대방이 막 나와 친해지려고 할 때 꺼려하는 나를 발견한다.					
6	내가 다른 사람에게 관심을 가지는 만큼 그들이 나에게 관심을 가지지 않을까 봐 걱정이다.					
7	나는 다른 사람이 나와 매우 가까워지려 할 때 불편하다.					
8	나는 나와 친한 사람을 잃을까 봐 걱정이 된다.					
9	나는 다른 사람에게 마음을 여는 것이 편안하지 못하다.					

10	나는 종종 내가 상대방에게 호의를 보이는 만큼 상대방도 그렇게 해주기를 바란다.					
11	나는 상대방과 가까워지기를 원하지만 나는 생각을 바꿔 그만둔다.					
12	나는 상대방과 하나가 되길 원하기 때문에 사람들이 때때로 나에게서 멀어진다.					
13	나는 다른 사람이 나와 너무 가까워졌을 때 예민해진다.					
14	나는 혼자 남겨질까 봐 걱정이다.					
15	나는 다른 사람에게 내 생각과 감정을 이야기하는 것이 편안하다.					
16	지나치게 친밀해지고자 하는 욕심 때문에 때로 사람들이 두려워하여 거리를 둔다.					
17	나는 상대방과 너무 가까워지는 것을 피하려고 한다.					
18	나는 상대방으로부터 사랑받고 있다는 것을 자주 확인받고 싶어 한다.					
19	나는 다른 사람과 가까워지는 것이 비교적 쉽다.					
20	가끔 나는 다른 사람에게 더 많은 애정과 더 많은 헌신을 보여줄 것을 강요한다고 느낀다.					
21	나는 다른 사람에게 의지하기가 어렵다.					
22	나는 버림받는 것에 대해 때때로 걱정하지 않는다.					
23	나는 다른 사람과 너무 가까워지는 것을 좋아하지 않는다.					
24	만약 상대방이 나에게 관심을 보이지 않는다면 나는 화가 난다.					
25	나는 상대방에게 모든 것을 이야기한다.					
26	상대방이 내가 원하는 만큼 가까워지는 것을 원치 않음을 안다.					
27	나는 대개 다른 사람에게 내 문제와 고민을 상의한다.					

28	나는 다른 사람과 교류가 없을 때 다소 걱정스럽고 불안하다.					
29	다른 사람에게 의지하는 것이 편안하다.					
30	상대방이 내가 원하는 만큼 가까이에 있지 않을 때 실망하게 된다.					
31	나는 상대방에게 위로, 조언 또는 도움을 청하지 못한다.					
32	내가 필요로 할 때 상대방이 거절한다면 실망하게 된다.					
33	내가 필요로 할 때 상대방에게 의지하면 도움이 된다.					
34	상대방이 나에게 불만을 나타낼 때 나 자신이 정말 형편없이 느껴진다.					
35	나는 위로와 확신을 비롯한 많은 일들을 상대방에게 의지한다.					
36	상대방이 나를 떠나서 많은 시간을 보냈을 때 나는 불쾌하다.					

위 이미지의 문항마다 전혀 그렇지 않다부터 매우 그렇다까지 해당하는 점수에 체크한 뒤, 홀수 번호의 점수와 짝수 번호의 점수를 각각 계산하면 된다.

단, 역채점 문항(3, 15, 19, 22, 25, 27, 29, 31, 35)은 질문지에 2로 체크된 경우 4점으로 점수를 매기고, 1일 경우 5로, 3일 경우는 그냥 3으로 점수를 매긴다.

* 홀수 번호 문항의 점수를 합산한 점수가 42보다 높은 사람은 회피형
* 짝수 번호 문항의 합산 점수가 47점보다 높은 사람은 저항형(불안형)

* 두 점수가 모두 높을 경우는 혼란형

* 두 점수가 모두 기준 점수보다 낮으면 안정형으로 분류한다.

나의 애착유형이 나왔다면, 나의 대인관계 패턴이 그런 성향이 있음을 미리 충분히 이해하고 상대와의 관계 설정도 이에 맞춰서 바꿔야 한다. 안정형이면 사람에 대한 기본 믿음이 있어서 상대가 뭔가 서운한 행동을 했을 때 과도하게 예민해지지 않는데 반해 저항형이나 혼란형, 회피형은 자신이 이미 갖고 있는 상처 때문에 실망의 폭이 실제보다 더 크게 느껴지면서 훨씬 더 민감한 반응을 보이는 경우가 많다. 넘어져서 피부가 벗겨진 부분에 물이나 소독약이 닿으면 멀쩡한 피부에 닿았을 때보다 훨씬 더 쓰라리고 아픈 것과 똑같은 이치다. 이처럼 자신이 이미 형성하고 있는 애착유형을 파악하고 거기서 파생될 수 있는 문제점에 대해 미리 대비하고 상대의 애착유형을 고려하여 지기지피가 된다면 관계를 잘 이끌어 갈 수 있다.

파트너를 만날 때
고려할 것 2 – 성격유형

한 사람의 성격을 형성하는 데는 타고난 유전적인 요소와 어린 시절의 애착형성, 자라는 동안 받은 사회문화적인 영향이 모두 관여된다. 또 성격유형에 따라 행동패턴이 다를 수 있다. 즉 서로 다른 성격유형일 때 상대방의 행동을 이해하지 못하고 서로 갈등을 느낄 수 있다. 반면에 성격유형을 파악하고 각각 유형별 특징이 무엇인지 안다면 그런 갈등을 훨씬 잘 극복할 수 있을 것이다.

성격을 분류하는 대표적인 검사로 MBTI(Myers-Briggs Type Indicater)가 있다. MBTI는 칼 구스타프 융의 정신분석이론 가운데 성격유형이론을 기초로 이사벨 마이어스와 캐서린 브릭스가 개발했다. 93문항의 설문을 통해 네 가지 척도의 관점을 각각 두 가지로 분류한다. 이 분류를 통해 사람이 살아가면서 타인이나 세상일을 어떤 식으로 인식하고 판단하는지, 에너지나 관심을 어느 쪽에 두며 사는지를 알 수 있다.

외향적인가(E) - 내향적인가(I)

감각적인가(S) - 직관적인가(N)

사고를 중시하는가(T) - 감정을 중시하는가(F)

판단을 중시하는가(J) - 인식을 중시하는가(P)

MBTI는 이 조합에 따라 성격을 16가지 유형으로 분류한다.

외향성은 에너지와 관심의 초점이 외부에 있으며 타인과 소통을 좋아하고 그것을 통해 힘을 얻는다. 내향성은 관심의 초점이 자기 자신의 내면에 있어서 타인과의 소통보다는 자기 자신과의 소통을 더 중요시한다. 혼자 있는 시간을 통해 재충전하는 편이다.

외향형은 시선이 항상 외부를 향해 있다. 자신의 내면세계보다는 바깥세상을 더 흥미롭게 여기며 외부세계를 변화시키는 데 관심이 크다. 전형적인 외향형 성격을 학교 동창생 중에서 한번 찾아보자.

동창생 가운데 유난히 학창시절의 추억을 세세히, 꼼꼼하게 잘 기억하는 친구들이 있다. 담임선생님은 물론 옆 반 선생님 이야기, 소풍 가서 있었던 일은 물론 심지어 누가 어떤 도시락 반찬을 잘 싸 왔었다는 이야기까지 구체적으로 줄줄이 쏟아진다. 그런 친구들은 외부에 관심이 많은 전형적인 외향형이다.

그런 점에서 보면 나는 외향형과는 거리가 먼 내향형이다. 학창시절의 자잘한 기억이 별로 없기 때문이다. 단짝 친구 몇을 제외하면 어떤 친구들이 우리 반에 있었는지도 기억이 가물가물하다. 그나마 담임선생님에 대한 기억을 간직하고 있는 게 다행일 정도다.

　외향형 성격을 가진 친구들은 가능한 한 많은 에너지를 쏟아 타인과 외부세계에 집중한다. 그리고 최대한 많은 정보를 빠르게 수집해서 그가 속한 사회(커뮤니티)에 적응하려고 노력한다. 덕분에 당시 에피소드를 누구보다 상세하게 기억할 수 있다. 반면에 내향형은 외부세계 자체에 대한 관심 대신 그 외부세계가 자신에게 어떤 영향을 주는지에 관심을 둔다. 이를 통해 자기를 돌아보면서 사색하고, 분석하고, 탐구한다. 이처럼 충분히 생각한 다음 말을 하므로 논리적이고 차분한 사람이 많다.

　이와 같은 외향형과 내향형 성격을 알아두면 나와 남의 차이를 살펴보는 데 큰 도움이 된다.

　감각형은 자신의 눈과 귀로 직접 보고 듣고 확인한 정보만을 믿고 받아들이는 경향이 있다. 조심성이 많고 신중한 편이며 나무 하나하나를 자세히 살피는 것처럼 세부적이고 구체적인 사실을 중요하게 생각하는 경향이 있다. 일 처리가 철저하고 실제적인 것을 중시하며, 사건을 사실적으로 묘사하는 경향이 있고, 관찰 능력이 세심하다.

　직관형은 예감이나 직감에 의지해서 결정한다. 나무보다는 숲 전체를 보려는 경향이 강하다. 상상력이 풍부하고 창조적이며 보이는 것 그대로를 보기보다는 육감에 의존하려 한다. 창의적이고 모험을 즐기며 '촉'에 의해 무모한 사업이나 투자를 하기도 한다. 가능성을 중요시하며, 비유적인 묘사를 선호한다.

사고형은 객관적이고 이성적인 관점으로 정보를 비교 분석하여 논리적인 결과를 근거로 판단한다. 과학적인 근거나 계산, 숫자를 바탕으로 결론을 내린다. 아무리 상황이 급해도 감정에 휩쓸린 결정을 하지 않고 일단 생각을 먼저 한다. 논리적인 관계를 중요시하며 "객관적으로 생각해봐" 하는 말을 자주 한다.

감정형은 사실보다는 그 사실과 연관된 감정적인 부분에 더 중점을 둔다. 어떤 일의 결과 자체보다는 그로 인한 대인관계나 정서적 영향에 더 관심을 갖는다. '느낌'을 중요시하며 자신과 상대방의 감정에 민감하고 공감 능력이 좋다. 사실보다는 감정을 더 중요시하기 때문에 문제를 해결하는 게 아니라 회피해버리는 비합리적인 선택을 하기도 한다. 감정형 사람의 입장에서는 매사에 이성적이고 공평한 원칙을 강요하는 사고형은 '인간미가 없다'고 생각할 수 있다.

판단형은 어떤 일을 계획할 때 큰 그림을 그리고 조직적이고 체계적으로 진행한다. 즉흥적이지 않고 미래에 대한 구체적인 계획, 방향, 변수 등을 다 고려하면서 치밀하게 계획한다. 빠르고 합리적이며 옳은 결정을 내리고자 애쓴다. 목적의식이 뚜렷하며 조직적이고 체계적으로 행동한다. 스케줄 표를 꼼꼼히 적어 관리하거나 가계부를 조목조목 세밀하게 적고 계획적으로 생활한다.

인식형은 다소 유연한 편이어서 자신의 삶을 완전하게 통제하거나 조절하지 않고 그때그때 상황에 맞춰서 융통성 있게 대응하며 적응한다. 빈

틈없이 계획적으로 사는 것보다는 환경에 맞춰 자율적으로 살아가는 것을 좋아한다. 상황에 맞춰서 행동하면서 모험이나 변화에 대한 열망이 높다. 호기심이 많고 사전에 세운 계획대로 움직이기보다는 상황에 따라 유연하게 행동한다.

선호 경향

외향(E) ←	에너지 방향	→ 내향(I)
감각(S) ←	인식 기능	→ 직관(N)
사고(T) ←	판단 기능	→ 감정(F)
판단(J) ←	생활 양식	→ 인식(P)

이와 같은 16가지 성격유형을 표로 정리하면 아래와 같다.

ISTJ 세상의 소금형 한번 시작한 일은 끝까지 해내는 사람들	**ISFJ** 임금 뒤편의 권력형 성실하고 온화하며 협조를 잘하는 사람들	**INFJ** 예언자형 사람과 관련된 뛰어난 통찰력을 가지고 있는 사람들	**INTJ** 과학자형 전체적인 부분을 조합하여 비전을 제시하는 사람들
ISTP 백과사전형 논리적이고 뛰어난 상황 적응력을 가지고 있는 사람들	**ISFP** 성인군자형 따뜻한 감성을 가지고 있는 겸손한 사람들	**INFP** 잔다르크형 이상적인 세상을 만들어 가는 사람들	**INTP** 아이디어 뱅크형 비평적인 관점을 가지고 있는 뛰어난 전략가들

ESTP	ESFP	ENFP	ENTP
ESTP 수완좋은 활동가형	**ESFP** 사교적인 유형	**ENFP** 스파크형	**ENTP** 발명가형
친구, 운동, 음식 등 다양한 활동을 선호하는 사람들	분위기를 고조시키는 우호적 사람들	열정적으로 새로운 관계를 만드는 사람들	풍부한 상상력을 가지고 새로운 것에 도전하는 사람들
ESTJ 사업가형	**ESFJ** 친선도모형	**ENFJ** 언변능숙형	**ENTJ** 지도자형
사무적, 실용적, 현실적으로 일을 많이 하는 사람들	친절과 현실감을 바탕으로 타인에게 봉사하는 사람들	타인의 성장을 도모하고 협동하는 사람들	비전을 가지고 사람들을 활력적으로 이끌어가는 사람들

성격이 각 척도의 양 극단에 속하는 경우는 드물고 대체로 두 극단을 연결하는 연속 스펙트럼 위의 어느 지점에 해당된다. 예를 들어 외향적인 사람은 내향성의 특성도 함께 가지지만 외향성의 비율이 더 높다는 의미다. 그리고 성격 역시 고정불변이 아니라 스스로의 노력에 의해 혹은 타의에 의해 필요한 특성이 새롭게 개발되기도 하고 기존의 특성이 줄어들기도 하면서 서서히 변할 수 있다.

성격유형에 따라 생활 패턴이나 일을 처리하는 속도도 서로 다르다. 예를 들어 나는 주변을 깔끔하게 즉시 정리 정돈하는 것을 좋아하지만 상대는 어질러놓고 푹 쉬었다가 나중에 한꺼번에 치우는 것이 더 편할 수 있다. 평상시에 꾸준하게 예습, 복습을 하는 학생도 있고, 벼락치기로 시험기간에만 공부하는 학생이 있는 것과 같은 맥락이다.

나와 다르게 살아가는 상대가 잘못되거나 틀렸다는 관점을 갖고 바라본다면 보는 나도 고통스럽고 잔소리 듣는 상대도 힘들다. 하지만 서로 성격유형이 달라서라고 이해하면 관계 맺기가 한결 부드러워질 것이다.

성격은 타고난 기질과 살면서 경험한 것들 그리고 주변 환경에 의해 형성되기 때문에 영원불변한 게 아니다. 타고난 기질이나 환경은 바꿀 수 없을지라도 나의 경험과 노력에 의해 성격은 얼마든지 변화하고 개선될 수 있다. 상대를 배려하면서 조금씩 노력한다면 더 조화롭게 지낼 수 있다.

보이지 않는
고릴라

우리는 세상의 모든 면을 아주 분명하게 보고 있다고 생각하지만, 사실은 당장 관심을 쏟는 부분을 제외한 나머지 면은 전혀 인식하지 못한다. 이런 현상을 '보이지 않는 고릴라'(Invisible Gorilla)라고 부른다. 1999년 미국의 심리학자 다니엘 사이먼스(Daniel Simons)와 크리스토퍼 차브리스(Christopher Chabris)가 한 실험에서 유래한 것이다. 사람들에게 1분간 영상을 보여주면서 그 영상 속의 흰 옷 입은 사람들이 공을 몇 번 패스하는지 숫자를 세어보라고 했을 때, 중간에 갑자기 화면 중앙에 고릴라가 나타나 가슴을 치며 지나가도 눈치 채지 못한 사람들이 많다는 것이다.

보이지 않는 고릴라 현상은 실생활에서도 자주 경험할 수 있다.

초등학교 5학년 때 일이다. 난생처음 사촌 동생들과 함께 택시를 탔다. 내가 맨 마지막에 탔기 때문에 자연히 문 옆에 앉게 되었다. 그런데 나는 택시에 타는 순간부터 내릴 때 택시 문을 어떻게 열 것인가를 속으로 걱정하며 궁리하느라 바깥 풍경을 하나도 감상할 수 없었다. 사촌 동생들에게 택시 문도 못 여는 초라하고 촌스러운 언니로 보이기 싫었기 때문이다. 이 때문에 처음 택시 타고 놀러간 마을 풍경은 하나도 기억에 남아 있지 않고 택시 문의 구조만 아직도 눈앞에 생생하다.

결혼 상대자를 고를 때도 마찬가지다. 예쁜 얼굴, 빵빵한 집안배경 등 뭔가 크게 부각되는 상대의 조건에 눈이 팔리면 진짜 중요한 무언가를 놓칠 수 있다. 연애할 때 약간 거슬렸던 돌멩이 크기의 문제점이 결혼한 뒤에 산만큼 크다는 것을 알게 되는 경우가 비일비재하다.

예를 들어 지지리도 가난한 집에서 태어난 사람이 '나는 부잣집 출신에다 경제적으로 넉넉한 사람이랑 결혼할 거야' 하고 결심했다고 치자. 이런 경우 상대를 고를 때 '경제력'에만 초점을 맞추게 되고 그 이외의 부분들에 대해서는 '주의력 착각'을 일으키게 된다. 즉 그 사람의 인격이나 성실성, 성격 차이, 문화적인 차이 등에 대한 고려를 거의 하지 못한 채 결혼을 하게 될 수 있다는 얘기다. "연애할 때는 두 눈을 크게 뜨고, 결혼한 후에는 한쪽 눈을 감아라!"라는 잠언을 잘 기억하면 좋을 것 같다.

이와 관련된 얘기로 평소 즐겨 보는 EBS의 '세계테마기행' 가운데 아르헨티나 편이 생각난다. 어느 오지 마을의 여인들은 전통인형을 만들어 집을 장식하는데, 그 인형의 얼굴에는 눈, 코, 입, 귀가 없다. 원만한 결혼생활을 위해 배우자에 대한 나쁜 것은 보지도 듣지도 말고 또 상대에게 나쁜 말도 하지 말아야 한다는 뜻이라고 한다. 그 마을의 여인들은 틈나는 대로 얼굴이 비어있는 인형을 만들면서 마음속으로 명상하듯이 그 의미를 되새겼을 것이다. 그래서인지 수십 년 해로한 그 집 부부가 진짜 정겨워 보였다. 참 지혜로운 전통이 아닌가 싶다.

또 하나, 친구나 부모 등 다른 사람들이 내게 어떤 조언을 해줄 때는 일단 들어보는 게 좋다는 것도 잊지 말았으면 한다. '주의력 착각' 때문에 내가 놓친 것을 그들은 객관적으로 잘 볼 수 있기 때문이다.

고릴라 효과에 대비되는 것으로 '로미오와 줄리엣 효과'라는 것도 있다. 주변의 반대가 너무 심하면 두 사람의 관계가 오히려 더 애절해지는 현상을 말한다. 그대로 내버려두면 서로 안 맞는 점을 느끼거나 발견하고 그만 만날 수도 있을 텐데, 주위의 반대라는 장애물이 생기니까 심리적으로 둘이 같은 편이 되어 전쟁을 치르는 것처럼 끈끈한 전우애가 생기게 된다는 것이다. 이런 전우애는 상대의 치명적인 결점을 보지 못하게 막는다.

지금 나에게 보이지 않는 고릴라는 무엇일까?

사람을 처음 만날 때 가동되는 심리학적 원리

처음 만난 누군가가 엄청 멋져 보일 때 그 사람의 어느 면이 좋은 것인지를 한번 생각해보자.

첫인상에 영향을 주는 것으로 외모의 후광효과라는 것이 있다. 후광효과란 그 사람이 가진 일부의 긍정적, 부정적 특성이 강조되어 전체적인 평가에 영향을 주는 것을 말한다. 예를 들어 매력적인 외모를 가진 사람은 후광효과에 의해 성격이나 능력이 실제보다 뛰어난 것으로 평가받을 확률이 높다. 또 그런 좋은 평가를 받은 사람은 실제로 더 나은 행동을 하는 경향이 있다. 원래 성격이 더 좋고 능력이 뛰어나서라기보다는 사람들이 가진 기대 그 사람에게 영향을 주는 자성예언현상이 작동되기 때문이다. 결국 좋게 보는 만큼 더 좋아지는 효과가 나타나는 선순환인 일어난 것이다.

사람이 사고하고 판단하는 체계에는 사고의 제1체계^(직감)와 제2체계^(숙고)의 두 가지 시스템이 있다. 갑자기 어디에선가 날아오는 공을 재빨리 피한다거나 귀여운 아기를 보고 흐뭇한 미소를 짓는 건 직감에 의한 사고체계를 따른 것이다. 반면에 과거의 경험을 떠올려 어떤 일에 대한 평가를 하거나 계획을 세우는 것, 복잡한 계산을 하는 것은 숙고의 사고체계에 의한 것이다.

첫인상을 결정짓는 것은 고도의 정신활동과 관계되는 뇌의 신피질의 역할이 아니라 원시적인 처리기제인 피질하 영역의 역할이기 때문에 자동적으로 이뤄지는 일이라 스스로 통제할 수가 없다.

어떤 사람을 처음 만났을 때는 단 5초 만에 그 사람이 내 맘에 드는지 싫은지가 판가름 난다. 즉 나의 생존에 도움이 되는지 해가 되는지를 본능적으로 감지하는 것이다. 감정의 뇌, 사고 1체계(직감) 시스템이 작동한 결과다. 나도 모르는 과거의 언젠가 비슷한 이미지의 사람에게서 경험한 일이 좋은 기억일 때는 호감으로, 나쁜 기억일 때는 비 호감으로 평가된다.

알고 보면 첫인상의 호불호도 생존 전략과 관계된다.

순간적인 판단을 내리는 것은 감정의 뇌가 하는 역할이다. 생존을 위협하는 것은 재빨리 피해야 하고 도움 되는 것은 더 많이 취해야 한다. 그러한 시스템은 중뇌의 변연계에서 관여한다. 반면에 시간이 충분할 때는 대뇌피질에서 숙고하며 평가하는 분석의 뇌가 작동된다.

만일 우리가 어떤 사람을 만날 때 그 사람의 외모나 화술, 자동차, 부모의 직업, 사는 지역 등의 외적 배경에 의한 후광효과 때문에 잘못 평가할 가능성을 항상 염두에 둔다면, 우리를 속이려고 접근하는 사람의 의도를 잘 알아챌 수 있지 않을까?

결혼하기 전에 함께
나눠봐야 할 이야기들

결혼은 정말 잘 해야 한다. 결혼을 통해 삶이 풍요로워지고 더 성장할 수도 있지만 더 피폐해지고 불행해질 수도 있기 때문이다. 일단 서로 잘 맞는 사람을 선택해야 하고, 또 서로 잘 맞춰나가야 한다. 각자 다른 환경에서 수십 년을 살아왔기 때문에 당연히 서로 다를 수밖에 없다.

달달한 연애와 달리 결혼은 현실 그 자체다. 연애할 때는 말 그대로 하늘의 별까지 따다 줄 마음이 충만하지만 결혼 후에 날마다 함께하는 일상에서는 서로 다른 사소한 생활습관 때문에 트러블이 생기기 쉽다. 그러므로 여러 가지 생활과 관련된 사항들을 구체적으로 미리 상의^(협의)해두면 소모적인 갈등을 줄일 수 있다. 결혼 전에 상의해야 할 사항들을 생각나는 대로 정리해보았다. 여러분이라면 연인과 함께 미리 어떤 점들을 상의하고 싶은가?

- 재정 관리는 누가, 어떻게 할 것인가?
- 집안일은 어떻게 분담할 것인가?

- 갈등이 생기면 어떻게 풀 것인가?
- 서로 개인적인 공간(시간)은 얼마나 확보할 것인가?
- 상대방이 친구를 만나는 횟수는 일주일에 몇 번 정도까지 허용하겠는가?
- 상대가 종교생활을 한다면 얼마나 많은 시간을 허용할 수 있는가?
- 돈을 쓰는 데 있어서 어디에 우선순위를 둘 것인가?
- 여가시간은 어떻게 보내기를 원하는가?
- 성생활은 어떻게 할 것인가?
- 스트레스를 받았을 때 혼자 있기를 원하는가, 여럿이 함께 풀기를 원하는가?
- 자녀 계획(피임)은 어떻게 할 것인가?
- 양가 부모님께는 어떻게 할 것인가?

PART 4

사람과 사람,
마음 통하는 이야기

마음문을 여는 열쇠

오랜만에 바쁜 일정 없이 편안한 마음으로 옛날 영화 한 편을 보았다. 멜 깁슨이 주연한 <왓 위민 원트>(What Women Want, 2000)라는 코믹 로맨스 영화다. 조금은 황당한 설정이지만, 뻔한 로맨스물과는 달라서 꽤나 몰입해서 볼 수 있었다.

광고기획자 닉 마샬(멜 깁슨)은 속칭 바람둥이다. 새로 부임한 여자 상사에게 밉보여서 언제 잘릴지 모르는 위기에 처해 있다. 어느 날 그는 헤어드라이어 감전 사고로 여자의 속마음을 읽을 수 있는 초능력을 가지게 되었다. 덕분에 그는 여성용품 광고 기획에서 놀라운 아이디어를 선보이면서 해고의 위험에서 벗어나게 되었다. 또한 이를 계기로 닉은 그동안 자신이 잘 알지 못했던 여자들의 진짜 속마음을 알게 되면서 개과천선을 하게 되고, 그를 위협하던 여자 상사와 사랑에 빠지게 된다.

영화가 얘기하는 건 결국 '소통의 힘'이다. 요즘은 유명 관광지마다 으레 영원한 사랑을 기원하는 자물쇠가 달려있다. 자물쇠를 한번 생각해보자. 아무리 비슷비슷하게 생긴 열쇠가 많아도 그 자물쇠에 딱 맞아떨어지는 열쇠가 아니면 절대 열리지 않는다. 그러다 딱 맞는 열쇠를 가져다 돌리면 신기하게도 바로 찰칵, 열린다. 우리의 마음도 마찬가지다. 꽁꽁 닫힌 마음이라도 그 마음을 진정으로 알아주는 공감의 순간이 오면 정말 마음의 문이 확 열리는 게 느껴진다.

수백 년 동안 발굴되지 않아서 칠흑같이 어두운 동굴이라고 해도 그걸 밝히는 데 수백 년이 걸리는 게 아니다. 빛을 비추는 그 순간에 바로 밝아진다. 또 아무리 꽁꽁 얼어붙은 얼음이라도 봄이 와서 날씨가 따뜻해지면 한순간에 녹는다. 사이가 오랫동안 좋지 않았던 관계라 하더라도 자물쇠에 딱 맞는 열쇠처럼 서로 마음이 찡하게 통하는 순간이 온다면 하루아침에 풀릴 수 있다.

어린 시절 자신을 길러준 양육자(주로 부모)와의 애착관계가 불안정해서 사람과 세상에 대한 믿음이 없는 사람이 많다. 이들은 대체로 세상에 대한 믿음이 없고, 냉소적이고 적대적인 경우가 많다. 사람 사이의 관계를 깊게 이어가지 못하고, 마음속으로 '언젠가는 나를 버릴 거야' 혹은 '날 속일 수도 있어, 믿을 수 없어'라는 불안을 가지고 있다.

하지만 이런 사람도 친구나 연인, 배우자, 선생님, 종교지도자 등등 그 누구든 진정한 관계를 맺고 마음이 풀어지면 수십 년 쌓인 얼음장 같은 마음이 녹을 수 있다. 다른 사람과의 관계를 통하지 않더라도 자신의 상태를 있

는 그대로 자각하고 상담을 받거나 심리학 관련 책을 읽으면서 스스로의
노력에 의해서도 개선될 수도 있다.

마음이 열려야
몸이 열린다

2019년 최고의 드라마로 꼽혔
던 <동백꽃 필 무렵>을 뒤늦게 몰
아봤다. 시간 나는 대로 틈틈이
드라마를 보면서, 왜 이 드라마 평
이 칭찬 일색인지 알 수 있었다. 오
래된 향수를 일깨워주는 배경과
감칠 맛 나는 조연들의 연기도 재
미있었지만, 주인공 동백(공효진)과
황용식(강하늘)의 '촌티' 팍팍 나는
로맨스가 눈을 떼기 어렵게 했다.
청춘 시절 '찐한 로맨스'를 경험하

지 못한 일이 늘 아쉬움으로 남은 입장에서 용식의 '촌므파탈'은 가슴을 설
레게 만들기도 했다.

특히 내가 이 드라마에서 가장 주목한 것은 두 사람의 소통 방식이었다. 홀로 아들을 키우며 시장에서 술장사를 하는 젊은 여자, 작은 시골 마을에서 구설수에 오르기 딱 좋은 조건이었던 동백은 몇 겹의 갑옷으로 무장한 채 누구에게도 마음의 문을 열어주지 않았다. 철옹성 같았던 동백의 마음을 녹인 용식의 결정적인 무기는 바로 '경청'과 '인정', '칭찬'이었다.

용식은 '미혼모' 동백의 가치를 인정해준 유일한 사람이었고, 동백이 좌절하고 슬픔에 빠졌을 때 밤새워 그의 이야기를 들어준 유일한 사람이었다. 그 어떤 상처로 마음의 문을 꽁꽁 닫아 두었다 하더라도 용식처럼 다가간다면 결국 그 문을 열게 될 것이다. 신학자이자 하버드대 교수인 폴 틸리히(Paul Johannes Tillich)가 일찍이 갈파했듯 "사랑의 첫 번째 의무는 상대방의 이야기에 귀를 기울여주는 것이다"라는 사실을 용식은 잘 알고 있었던 것 같다.

동백과 용식의 이야기를 여기서 꺼내는 이유는 진화생물학적으로 '연애의 목적은 섹스'일 수밖에 없는 남자들이 꼭 알아두어야 할 여자들의 생물학적 특성을 이야기하기 위해서다.

여자는 마음이 열리지 않으면 몸이 열리지 않는다.

<동물의 왕국>에서는 수컷은 자신의 종족을 번식시키기 위해 어떤 암컷이든 가리지 않고 틈만 나면 들이댄다. 반면에 암컷은 온갖 재주를 부리는 수컷들 중에서 가장 쓸 만한 녀석을 고르기 위해 이리저리 재면서 신중

에 신중을 기한다.

인간 남자와 여자도 크게 다르지 않다. 남자는 회사일로든 집안일로든 큰 스트레스를 받은 상태에서도 '쭉쭉 빵빵' 여성의 몸을 보면 저절로 '반응'이 일어나는 경우가 많다. 심지어 다툰 후에도 여자 친구 혹은 아내의 벗은 몸을 보면 자신도 모르게 생물학적인 반응을 나타낸다. 반응의 크기는 다소 차이가 있을지언정 동서양과 노소를 가리지 않는다. 혹시나 기회가 된다면 기꺼이 섹스할 준비가 된다. 그리고 어떤 스트레스 상황에서도 대부분 '사정'까지 이른다. 어떻게든 '씨를 뿌려야 하는' 남자들의 특성이다.

하지만 여자는 아이나 시댁 문제 등으로 스트레스를 받고 있을 때, 남편과 부부싸움 했을 때는 몸이 열리지 않는다. 때로는 어쩔 수 없이 섹스를 하는 경우도 있겠지만, 그런 경우에도 머릿속을 꽉 채우고 있는 '스트레스' 때문에 섹스를 즐길 수가 없다. 오르가슴은 언감생심이고 오히려 통증을 느낄 뿐이다. 여자들의 기본적 속성이다.

<동물의 왕국>에서 수컷들의 무기는 커다란 뿔, 화려한 깃털이나 갈기, 크고 우렁찬 포효소리, 빠르게 달리기 기술, 큰 덩치 등등 종에 따라 다르다. 오늘날 인간 세계에서 남자들의 무기는 재력과 명예, 학벌, 멋진 외모, 여러 가지 재능 등 다양하다. 하지만 '수컷'이 아닌 '남자'는 이러한 무기 말고도 하나가 더 필요하다. 그것은 바로 '소통의 기술'이다. 용식이 어떻게 철옹성처럼 닫혀 있던 동백의 마음을 열 수 있었는지 둘의 대화를 한번 엿들어보자.

동백: 그냥… 사는 게 좀 쪽팔려서요. 내 인생 뭐가 이래요? 학교 때는 반에 고아도 나 하나, 커서는 동네에 미혼모도 나 하나, 돈 때문에 아들내미 철들게 하는 것도 나 하나. 나도 좀 쨍하게 살고 싶은데, 아유 참, 세상이 나한테 왜 이렇게 야박해? 나만 자꾸 망신을 줘.

용식: 동백 씨, 약한 척하지 말아요. 고아에 미혼모인 동백 씨, 모르는 놈들이 보면 동백 씨 박복하다고 쉽게 떠들고 다닐지 몰라도요, 까놓고 얘기해서, 동백 씨 억세게 운 좋은 거 아니에요?

동백: 제가 운이 좋다고요?

용식: 고아에 미혼모가 필구를 혼자서 저렇게 잘 키우고 자영업 사장님까지 됐어요. 남 탓 안 하고요. 치사하게 안 살고, 그 와중에 남보다도 더~ 착하고 더~ 착실하게. 그렇게 살아내는 거, 고거 다들 우러러보고 박수쳐줘야 하는 거 아니냐고요.

동백: ……. (태어나서 처음으로 칭찬을 받았다.)

동백은 고아로 자랐고 커서는 미혼모가 되어 사람들의 편견과 무시의 눈총을 받으며 눈물겹게 살아가지만 용식은 수호천사처럼 그녀를 지켜주면서 "누가 뭐래도 동백 씨는 잘하고 있어요. 대단하고 이뻐요. 최고예요. 동백 씨는 운이 좋은 사람이에요. 장해요"라며 황소처럼 우직하게 끊임없이 응원하고 사랑과 관심을 표현한다. 동백은 용식에게 "'멋져요. 대단해요' 그런 얘기를 계속해주니까 제 세상이 좀 바뀌더라고요." "용식 씨는 대출도 안 나오는 내 인생에 보너스 같은 사람이에요"라며 사랑을 얘기한다.

또 자신을 챙겨주고 예뻐했던 용식 엄마에게도 "늘 허기가 졌는데 회장님만 보면 속이 꽉 차더라고요"라며 기죽었던 마음이 채워지고 있음을 표현한다.

용식과 동백의 사랑은 어떤 유형일까?

용식은 동백을 무조건 지지하고 응원해주며 위험에서 지켜주기 위해 밀착 경호까지 한다. 동백이 너무 예쁘다며 눈을 떼지 않는다. 낭만적이면서도 헌신적이고 열정적이기까지 하다. 동백에게 있어 용식은 완전히 백마 탄 왕자님이다.

왜 우리의 대화는
엉키고 잘못될까?

사람들이 대화하는 걸 옆에서 들어보면 정작 하고 싶은 이야기를 제대로 표현하지 못하는 경우도 많고, 심지어 자신이 하고 싶은 이야기가 무엇인지 잘 모르는 경우도 많다.

예를 들어보자. 어느 20대 여성의 남자친구는 데이트를 하기로 한 날 집안에 갑자기 일이 생겼다며 약속을 취소했다. 나중에 남자친구가 친구들과 어울려 놀고 싶어서 거짓말을 했다는 사실을 알게 된 그 여성은 남자친구에게 심하게 화를 내고 말다툼을 하게 되었다. 하지만 자신은 정작 본인이 왜 화를 내고 있는지, 뭘 바라는지, 어떤 메시지를 전하고 싶은지 잘 모르는 상태로 화만 내다보니 화가 누그러들지 않고 점점 더 증폭되는 것 같았다. 게다가 남자친구는 반성이나 사과를 하지 않고 변명만 늘어놓았다. 결국 그 여성은 점점 더 남자친구에게 정나미가 떨어져 헤어져야 하나 말아야 하나 하는 고민에 빠지게 되었다.

남자친구가 자신을 속여서 화가 났다고 생각하지만 더 깊숙하게 들여다보면 그 여성은 자신보다 친구를 더 좋아하는 남자친구에게 서운하고 속상하고 슬펐을 수 있다. 그래서 사실은 남자친구에게 화가 난 게 아니라 '나에게 좀 더 관심과 사랑을 보여줘' 하는 어떤 요청의 메시지를 표현하고 싶었을 수도 있다. 만일 그 여성이 화를 내지 않고 "난 자기가 나랑 데이트하는 것보다 친구들과 노는 걸 더 좋아하는 것 같아서 섭섭하고 서운해." "나랑 함께 보내는 시간을 소중하게 생각해줬으면 좋겠어." "어떤 상황에서도 거짓말을 하지 말고 솔직하게 말해줬으면 해. 그래야 나중에 자기가 하는 말을 믿을 수 있으니까." 이런 식으로 차분하게 대화를 풀어갔다면 남자친구도 비난을 받지 않으니까 자신을 방어하지 않고 진심어린 사과를 했을지도 모른다.

여기서 다시 한 번 '지기'를 강조하고 싶다. 확실하게 나의 감정은 무엇인지 파악해야 한다. 그리고 그 감정 아래 있는 나의 소망까지 파악해야 한다. 그 소망이 채워지지 않는다면 부정적인 감정을 느끼게 되고, 원하는 게 채워졌다면 긍정적인 감정을 느끼게 될 것이다. 이렇게 나의 감정, 그 속에 숨은 소망까지 파악한 다음 '상대의 귀에 들릴 수 있는 언어'로 전달해야 제대로 소통이 된다.

'말을 잘하는 사람'이란 정치인들처럼 번지르르한 말을 늘어놓는 사람이 아니라 말을 상대가 알아들을 수 있게 하는 사람이다.

또 하나 '대화'에서 잊지 말아야 할 것은 공격적인 화법을 피해야 한다는 것이다.

남자친구가 약속했던 데이트 시간에 한참이나 늦은 경우를 예로 들어보자. 목 빠지게 남자친구를 기다렸던 여자친구는 대뜸 "왜 늦게 와? 도대체 지금 몇 시야? 이럴 거면 약속을 왜 했어!" 이렇게 나오기 십상이다. 이것이 바로 공격적인 대화법이다. 이런 공격이 들어오면 상대는 당연히 '방어'를 하게 된다. "내가 잘못했어. 다음에 일찍 올게" 하는 대답을 기대하기 어렵다.

"어쩌다 좀 늦을 수도 있지! 차가 밀리는데 그럼 나더러 어떡하란 말이야!" "너는 안 늦었냐? 너도 지난번에 한 시간이나 늦게 왔잖아!"

해묵은 오래된 일들까지 소환해가면서 대화는 안드로메다로 날아가고 기대했던 데이트는 서운한 감정의 골만 깊어진 채 끝나고 만다.

그러면 공격적이지 않은 비폭력적인 평화의 대화법은 어떤 걸까? 화가 나겠지만 일단 자신의 감정을 누그러뜨린 다음 상대가 답을 할 수 있는 여지를 주는 것이다.

"무슨 일이 있었어? 자기가 늦게 오니까 혹시 사고라도 나지 않았는지 걱정이 됐어."

"다음에 늦어질 것 같으면 미리 연락해 주면 좋겠어."

그러면 상대의 말도 당연히 달라진다. 변명이나 역공이 아니라 일단 사과를 하고 어떤 일 때문에 늦었는지 상황을 설명하게 된다.

비폭력적이고 부드러운 대화를 이어가려면 '왜'를 자제해야 한다. "왜 약속을 어겼어? 왜 안 먹어? 왜 대답을 안 해?" 이런 식으로 이야기가 시작되면 상대는 아예 말을 안 하거나 '그냥' '몰라' 등의 성의 없는 단답형 대답을 할 수밖에 없다.

'왜'처럼 상대의 말문을 막거나 단답형 답변밖에 할 수 없도록 만드는 질문 방식을 '닫힌 질문'이라고 하고, 대화가 계속 이어질 수 있도록 상대에게 여지를 주는 질문 방식을 '열린 질문'이라고 한다.

'why' 질문은 비난과 공격의 뉘앙스인데 반하여 'how/what' 질문은 미래지향적이고 열린 질문이다.

예를 들어 "너 아이스커피 좋아해?" 그러면 예스나 노 이외에는 답이 없다. 닫힌 질문이다. 반면에 "어떤 차를 좋아해?"라고 묻는다면 답은 무궁무진하다. 상대가 답을 하면 "그걸 좋아하게 된 계기가 뭐야?" 하는 식으로 대화는 계속 이어질 수 있다. 이런 게 열린 질문이다.

또 하나 대화에서 잊지 말아야 할 것은 '안'과 '못'의 차이이다.

"안 했다, 안 먹었다. 안 갔다" 등은 그 사람의 의지가 개입된 말이다. 예를 들어 엄마가 초등학교 다니는 아들에게 "오늘 왜 학원 안 갔니?"라고 묻는 것과 "오늘 무슨 일 때문에 학원에 못 갔니?"라고 물어보는 것은 큰 차이가 있다. '안'은 문제의 원인을 개인^(인간성) 탓으로 돌리는 반면 '못'은 사람 그 자체가 아니라 어떤 상황 때문에 문제가 생긴 것으로 이해해주는 것이 된다. 이런 것이 바로 상대방을 존중해주는 대화법이다.

대화는 두 가지 기능을 동시에 가지고 있다. 하나는 내용^(정보)의 전달이고 다른 하나는 두 사람 사이의 관계에 대한 규정이다.

두 사람이 대화를 나누는 중에 '말' 내용에는 틀린 게 없는데 뭔가 맘에 걸리고 삐걱거리는 게 있다면 한 사람이 무시를 당하는, 즉 열등한 위치를 받아들이고 싶지 않아서 그럴 수 있다. 그럴 때는 말의 내용을 수정할 게 아니라 두 사람의 관계를 재정립해야 갈등이 해결된다. 예를 들어 남자친구가 자신의 애인에게 다른 친구를 만나지 말라고 요구한다면, 상대는 자신을 동등한 인격체가 아니라 소유물로 여기고 있다고 느끼고 반발하게 될 것이다.

심리학적으로 보면 대화가 엉키거나 의견 전달이 제대로 되지 않는 건 처음에 말을 시작하는 사람에게 70%, 그 말을 듣고 반응하는 사람에게 30%의 책임이 있다. 처음 말을 하는 사람은 자기가 어떤 말을 하고 싶은지 정확하게 정리해서 '상대가 알아들을 수 있는 언어'로 전달해야 한다. 여기서 중요한 것은 '상대가 알아들을 수 있는 언어'다. 어떤 걸 말하고자 하는지 알아들을 수 없는 말은, 상대가 느끼기에는 외국어나 마찬가지다.

다시 강조하지만 말은 말하는 사람이 주인이 아니고 듣는 사람이 주인이다.

외과의사 출신의 전설적인 카피라이터 핼 스테빈스(Hal Stebbins)는 '말'에 대해 주옥같은 정의를 내려주었다.

"말은 오븐에서 나와야지 냉장고에서 나와서는 안 된다."(Words should come out of the oven - not the ice box.)

<이솝 우화>에서 나그네의 옷을 벗긴 것은 세차게 부는 바람이 아니

라 뜨거운 태양의 열기였듯이. 차가운 말로는 사람의 마음을 움직일 수 없다.

그렇다면 어떤 말이 오븐에서 나온 말일까? 사람의 마음을 따끈따끈하게 데워주는 말, 가슴을 울리고 때로는 콧등을 찡하게 하는 말이 바로 오븐에서 나온 말이다. 힘과 용기를 북돋아주고 격려해주는 말이 바로 '오븐에서 나온 말'이다.

소통과 공감에 대해 소개해주고 싶은 영화가 한 편 있다. <툴리>(Tully, 2018)라는 미국 영화다. 영화의 마지막 장면이 인상적이었다. 그동안 집안일을 아내 마를로에게 떠넘기고 모른 체했던 남편이 주방에서 설거지하는 아내 곁으로 와서 아내의 이어폰을 나눠 끼고 음악을 함께 들으며 나란히 서서 설거지하는 장면이다. 두 사람을 이어주는 이어폰 줄, 수도꼭지에서 쏟아지는 물에 함께 설거지하는 모습에서 말로 소통하고 공감하는 것 이상의 진정한 교감을 느꼈다. 문득 '사랑은 서로 마주보는 것이 아니라 둘이 같은 곳을 바라보는 것이다'라는 금언이 떠오르는 장면이었다.

TV 프로그램 중에 '아이콘택트'가 있다. 사연이 있는 두 사람이 등장해서 5분간 아무 말 없이 서로의 눈만 쳐다보는 프로그램이다. 비언어적 대화를 나누는 이른바 '침묵 대화'다. 말을 하지 않아도 오히려 더 깊은 공감이 이뤄지는 걸 보면서 이제 막 사랑을 키워가는 연인 혹은 오랫동안 함께 살아왔던 부부가 한 번쯤 시도해봤으면 좋겠다는 생각이 들었다. 5분이 아니어도 좋다. 단 1분, 2분이라도 서로의 눈을 지그시 바라보라. 말보다도 더 깊고 많은 얘기를 눈빛으로 나눌 수 있고, 두 사람 사이의 마음의 앙금이 풀리고 교감이 이루어질 것이다.

사랑과 소통을 생각해볼 수 있게 하는 영화 한 편을 더 소개한다. 이름만 대면 다 알 만한 모건 프리먼과 마이클 더글러스, 로버트 드 니로, 케빈 클라인이 함께 주연을 맡아 '58년 간의 우정을 간직한 네 명의 꽃할배들' 이야기를 들려주는 <라스트베가스>(Last Vegas, 2013)다. 우리나라 예능 프로그램인 <꽃보다 할배> 덕분에 제법 많은 관객들의 눈도장을 받았다. 포스터에 붙은 영화 부제만 봐도 딱 '남자들'의 이야기다.

'품격 있는 꽃할배들의 물이 다른 총각파티!'

영화는 한마디로 사랑까지도 양보하는 뜨거운 남자들의 우정 이야기며, '사내들의 의리와 우정보다 더 깊은 건 이 세상에 없다'라는 걸 보여준다. 그 세 친구 중 빌리(마이클 더글러스)가 칠십 세가 넘도록 바람둥이로만 살다가, 극적으로 진짜 짝을 만나 고백하는 장면이 나온다. 그 장면에서 빌리가 수줍어서 상대방을 제대로 쳐

다보지도 못한 채 사랑을 고백하는데, 상대 여성이 '눈을 바라보며 얘기해야죠!'라며 웃으며 리드한다. '아이 콘택트'의 중요성을 또 한 번 생각하게 하는 장면이었다.

나 전달법 VS
너 전달법

　로빈슨 크루소처럼 무인도에서 혼자 살지 않는 한, 우리는 많은 '관계'를 맺으며 살아간다. 그런 관계로 인한 스트레스를 피할 수는 없다. 그리고 우리가 받는 스트레스는 상당 부분 상대방과 주고받는 '대화'에서 비롯된다. 사소한 말 한 마디에서 적지 않은 스트레스를 받는 경우가 많다. 여기에 두 가지 대화법을 소개하려고 한다. '나 전달법'과 '너 전달법'이다.

　나 전달법(I-Message)이란 내 상태, 내 마음이 어떠어떠하다고 말하는 것이다. 나에게서 비롯되는 것으로 표현한다. 상대방을 비난하지 않고 문제가 되는 상대방의 행동과 그 행동의 결과를 구체적, 객관적으로 기술하는 것을 말한다. 즉 상대방의 행동이 나에게 미친 영향을 구체적으로 전달하는 표현법이다. 그래서 "내 생각에는~" "내가 느끼기에는~" 이런 식으로 대화한다.

　나는 오늘 '_____'을 보았어요.
　나는 _____ 느꼈어요.

나는 _____ 들었어요.

나는 _____ 하고 싶어요.

나는 오늘 '_____' 생각이 떠올랐어요.

내 생각에는 '_____'을 뜻하는 것 같아요.

이런 식으로 얘기하는 게 나 전달법이다.

나 전달법으로 대화를 시도할 때는 문제가 되는 상대방의 행동과 상황에 대해 어떤 평가나 비판, 비난의 의미를 담지 말고 객관적인 사실만을 구체적으로 말하는 것이 좋다. 그리고 상대방의 행동이 자신에게 미친 영향을 구체적으로 말하고, 그러한 영향 때문에 생긴 감정을 솔직하게 말한다.

나 전달법으로 대화를 하게 되면 상대방을 직접 판단, 평가, 공격하는 것이 아니기 때문에 상대가 방어심리를 일으키는 경우가 줄어들고, 훨씬 편안하게 대화할 수 있다. 또한 솔직한 느낌과 감정을 이야기하면 상대방도 함께 솔직하게 자신의 상황을 이야기할 수 있게 된다.

"약속시간이 넘었는데 연락이 없어서 난 너무 걱정이 됐어." "방이 너무 어질러져 있어서 보기가 심란하네." "네 목소리가 크게 들려서 내가 집중할 수가 없네. 목소리를 조금만 줄여줄 수 있겠니?" 이렇게 표현하면 말을 듣는 상대방은 별로 반감을 느끼지 않는다. 말하는 사람의 입장이 그렇다고 하니 "알았어. 다음에 늦을 때는 미리 연락해줄게" 하는 식으로 서로가 윈-윈 하는 결과로 나아갈 수 있다. 즉, 생각과 행동과 느낌의 주체가 '나'다.

반면에 너-전달법(Y-Message)은 지금까지 우리가 익숙하게 해왔던 대화법으로 상대의 행동에 초점을 맞추어 그 행동에 대한 비난, 비평 혹은 평가의 의미를 전하는 의사소통 방법이다. 즉 상대에게서 일이 비롯되었다는 식이다. 상대방에게 잘못이 있다고 말하는 것이며 말로 공격하는 것이다.

주로 "너는~~" 혹은 "당신은~~"으로 시작한다. "넌 도대체 왜 이렇게 늦게 오니?" "방 좀 치워라." "왜 이렇게 시끄럽게 떠드니?" 이런 식으로 '너'가 주어가 된다. 주어가 생략되었더라도 '너는'을 넣었을 때 말이 되면 너 전달법 방식이다.

이런 말을 듣는 사람은 자신이 비난을 받고 공격을 당한다고 느끼게 된다. 또 상대가 자신에게 명령하고 가르치려 든다고 생각한다. 그래서 자신의 행동을 개선하려는 마음이 드는 게 아니라 상대방의 말에 대해 반감을 갖게 되고 자신을 방어하려는 자세를 취하게 된다.

"내가 늦으면 얼마나 늦었다고 그래? 너도 늦을 때 있었잖아." "잔소리 좀 그만해, 너나 잘해."

대화는 점점 꼬이고 서로의 감정은 상하게 된다. 더 좋아지고 개선하기 위해 말을 했는데 좋아지기는커녕 서로 관계까지 어그러지는 것이다.

메라비언의
법칙

  의사소통의 방식은 크게 '언어적 의사소통'과 '비언어적 의사소통' 두 가지가 있다. 언어적 의사소통은 '대화의 내용'을 말하고, 비언어적 의사소통은 '말투, 목소리 톤, 속도, 크기'^(청각)와 '시선처리, 제스처, 표정'^(시각) 등을 말한다.

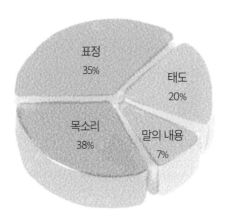

메라비언의 법칙

메라비언(Mehrabian)의 법칙에 따르면 소통에서의 비중을 따질 때 말의 내용은 7%에 불과하고 비언어적 소통의 비율이 93%(청각정보 38%, 시각정보 55%)에 달한다. 다시 말해 대화를 할 때는 말의 내용보다 비언어적인 표정이나 태도 등이 훨씬 더 중요하다.

비언어적 소통의 힘을 확인하기 위해서는 영화 <미스 리틀 션샤인>(Little Miss Sunshine, 2006)이 참고가 될 만하다. 스티브 카렐(프랭크), 토니 콜렛(쉐릴), 그렉 키니어(리차드) 등이 주연을 맡은 코미디 영화다.

문제투성이 콩가루 집안 가족들이 일곱 살짜리 딸 올리브의 예쁜 어린이 선발대회 출전을 위해 캘리포니아로 차를 타고 간다. 고집불통 가부장적인 아빠, 자살까지 시도했던 게이 외삼촌, 9개월째 입을 꾹 닫고 있는 오빠, 마약 중독 때문에 요양원에서 쫓겨나온 야한 할아버지까지 온 가족이 모래알처럼 제각각 문제를 갖고 있다. 멀쩡한 사람은 엄마와 일곱 살 올리브뿐이다. 도중에 오빠가 간절히 원하던 진로가 좌절되어 심하게 절망하고 절규하는 장면이 나온다. 부모와 할아버지, 삼촌 등 어른들이 갖가지 말로 위로하고 설득했지만 백약이 무효였다. 나중에 어린 동생이 오빠 옆에 말없이 앉아 어깨를 감싸 안아주자, 얼마 후 단단했던 오빠의 마음이 풀렸고 여정을 이어갈 수 있었다.

이 영화는 콩가루 같은 가족의 문제를 해결하고 상처받은 마음을 풀리게 하는 것은 논리적인 설득이 아니라 따뜻하고 진심어린 포옹이라는 걸 잘 보여준다.

과묵과
침묵 사이

말을 하지 않는다는 점에서 과묵과 침묵은 비슷해 보이지만, 사실은 매우 다르다. 과묵은 입을 닫아야 할 때 닫는 거고, 침묵은 입을 열어야 할 때도 닫는 것이기 때문이다. 회사에서는 일을 말없이, 과묵하게 잘하는 게 미덕이지만 가정에서는 소통을 막는 악덕이다. 그건 과묵이 아니라 침묵이다. 가정을 넘어 사람 사이의 관계에서도 침묵은 단절을 부르는 악덕이다.

흔히 사람들은 그런 오해를 한다. '그만큼 오랫동안 나를 봐 왔으니 내가 말 안 해도 내 마음을 알겠지?' 정말 대단한 착각이다. 입을 열어 말로 표현하지 않으면 부모 자식 사이라도 그 마음을 모른다. 부부 사이도 모르고 애인 사이에서도 서로의 마음을 모른다. 부처님이 연꽃 한 송이를 들자 가섭존자가 그것을 보고 웃음을 지었다는 '염화시중(拈華示衆)'의 미소와 '이심전심'의 이야기는 높은 도를 닦은 사람들의 이야기일 뿐, 내 남자친구나 내 아내가 그렇게 해줄 거라는 기대는 애초에 버려야 한다.

마음속 이야기를 정확하게 해줘야 하는 것은 부모 자식 사이에도 마찬가지다. 회사에서 종일 일하고 퇴근해서 집에 온 엄마 아빠는 이미 스트레스로 가득 차 있는 상태. 그런데 온종일 엄마 아빠를 기다렸던 아이들은 엄마 아빠를 보자마자 달려든다.

"저랑 놀아주세요. 오늘 친구랑 이런 일이 있었어요. 뭐 만들어주세요. 내일 학교에 가져갈 준비물이 있어요…."

그런 순간 자신도 모르게 벌컥 화를 낼 수도 있다. 온종일 부모를 기다린 아이가 잘못한 건 하나도 없는데 말이다. 하지만 아이는 화를 내는 엄마나 아빠를 보면서 자기가 잘못해서 그런 걸로 생각하기 마련이다. 그리고 이런 상황이 반복되면 자신도 모르게 주눅이 들고, 엄마 아빠가 퇴근해서 돌아와도 반겨주지 않는다. 결국 아이들과 부모의 사이는 점차 멀어진다.

이럴 때 필요한 것은 회사와 가정, 업무와 집안일을 구분하는 것이다. 물론 칼로 무 자르듯이 딱 잘라서 구분할 수는 없겠지만, 가능한 한 구분해야 한다. 그리고 퇴근 후에 잠시나마 쉴 시간이 필요하다면 아이들에게 일단 양해를 구하라.

"엄마는 회사 갔다 왔더니 너무 피곤하구나. 우선 한 시간만 좀 쉬어야겠어. 미안하지만 그때까지는 너희들끼리 좀 놀았으면 좋겠구나. 그리고 혹시 내가 화를 낸다면, 그건 너희들 문제가 아니라 엄마가 피곤해서 그런 거니까 이해해주렴."

이렇게 얘기해두면 아무리 철없는 아이들이라도 피곤한 엄마 아빠의 시간을 방해하지 않는다. 함께 놀아주는 시간은 좀 줄어들지 몰라도, 오히려 의젓해진 아이들과 더욱 가까워질 수 있을 것이다.

소통과 관련해서 자폐증이 있는 수학 천재 네이든에 관한 실화 영화인 <네이든>(X Plus Y, 2014)을 소개하고 싶다. 에이사 버터필드(네이든)와 샐리 호킨스(줄리), 라프 스팰(험프리스)가 주연을 맡았다.

주인공 네이든은 어릴 적부터 자폐증 때문에 소외될 때가 많았다. 하지만 아빠는 "네이든, 사람들이 너를 이해하지 못할 때도 있지만 그건 네가 특별하기 때문이야"라며 힘을 북돋아주며 눈높이에 맞게 잘 소통해준다. 그렇게 각별했던 아빠가 갑작스레 돌아가신 후 세상과 더욱 담을 쌓고 멀어지는 아들의 마음을 열기 위해 엄마는 부단히 노력한다.

영화는 여러 가지 감동을 주지만, 특히 영화의 말미에서 난생처음 엄마와 비로소 소통의 물꼬를 트는 네이든을 보면서 진정한 소통은 꽁꽁 잠긴 마음의 문을 열쇠로 여는 것과 같다는 생각을 다시 해보았다.

양보다 질!
소통의 깊이

사람과 사람이 만날 때 두꺼운 겨울옷을 입고 장갑 낀 손으로 악수를 나눌 수도 있고, 봄가을에 얇은 티를 입고 가볍게 포옹하거나 연인 사이에서 맨몸으로 뜨겁게 껴안는 단계도 있듯 대화를 통한 교감에도 여러 형태가 있다.

함께 만나서 오랜 시간동안 많은 얘기를 나눈다고 깊은 교류를 하는 사이라고 무조건 말할 수는 없다. 오히려 가끔씩 전화 통화만 하는 사이가 훨씬 더 깊은 소통을 할 수도 있다.

실제로 나도 친구들 모임에 나가서 몇 시간 동안 함께 수다를 떨다가 집에 돌아왔을 때, 왠지 피곤하기만 하고 기분이 씁쓸할 때가 있다. 그런 경우는 화제도 다양하고 많은 얘기가 오갔을지라도, 제 3자에 대한 가십거리라든가 골프나 자기 과시적인 얘기 같은 내용이 주를 이룬 날이다.

대화의 양보다는 질의 문제이기 때문이다.

대화의 깊이 측면을 다음과 같이 5단계로 생각해 볼 수 있다.

1단계는 "안녕하세요?" "잘 지내시죠."처럼 가볍게 나누는 인사다.

2단계는 "그것에 대해 사실대로 얘기해줄게."라는 식으로 실제적인 정보를 주고받는 차원이다.

3단계는 "그 일에 대해 나는 이렇게 생각해요."라고 생각을 드러내는 대화다.

4단계는 감성적인 대화로 "그 일에 대해 내가 어떻게 느끼는지 얘기해볼게." 하는 식으로 사실에 대한 자신의 생각과 감정을 얘기한다.

5단계는 모든 것을 진솔하게 꾸밈없이 나누는 대화다. 서로 자신의 마음을 있는 그대로 표현하고 상대는 수용한다. 비난이나 비판까지 여과 없이 말한다는 뜻이 아니라 진정한 소통의 경지라는 의미다.

대화의 장면에는 말하는 사람과 듣는 사람이 있다. 말하는 사람의 대화의 내용이나 방법도 중요하지만 듣는 입장에서 어떻게 경청하는가의 태도에 따라 소통의 질이 좌우된다.

경청의 중요성을 강조하는 격언들도 많다.

"듣고 있으면 내가 이득을 얻는다. 말하고 있으면 남이 이득을 얻는다."
(아라비아 속담)

"지혜는 들음으로써 생기고 후회는 말함으로써 생긴다."(제롬)

"말을 너무 많이 한다는 비난은 있지만 너무 많이 듣는다는 비난을 들어본 적은 없을 것이다."(아라비아 속담)

"말하는 것은 지식의 영역이고 듣는 것은 지혜의 영역이다."(경구)

이청득심(以聽得心): 귀 기울여 경청하는 일은 사람의 마음을 얻는 최고의 지혜다.

코비 리더십 센터 창립자인 스티븐 코비는 경청에 5단계가 있다고 하였다.

1단계는 무시하기다. 상대방이 무슨 말을 하던지 관심이 없다.

2단계는 듣는 척하기다. 속으로는 다른 곳에 신경이 가있고 말소리만 흘려듣는다.

3단계는 선택적 듣기다. 자신에게 좋고 흥미로운 부분만 골라서 듣는 거다.

4단계는 귀 기울여 듣기다. 상대방의 얘기에 관심을 갖고 주의를 기울여 듣는 자세다.

5단계는 공감적 경청이다. 말하는 상대방이 어떤 느낌이고 무엇을 원하는가를 추측하면서 말 이면에 숨겨진 의미까지 이해하려고 노력하면서 듣는 것이다. 가장 이상적인 경청 자세라 할 수 있다. 말 표현 그 자체를 듣는 것을 단어 중심 경청이라면 상대방이 이야기하는 내용의 의미를 이해하려고 노력하는 것은 맥락 중심 경청이다. 공감적 경청은 맥락 중심 경청이라 할 수 있다.

공감한다는 의미가 상대의 이야기에 동조하여 같은 감정을 느끼는 것이라고 오해하기 쉬우나 사실은 상대의 이야기를 반복하고 또 비슷한 다른 단어로 바꾸어 말하거나 요약하여 표현해주면 상대는 자신의 이야기가 이해받고 공감 받았다는 느낌을 갖게 된다.

여기 대화의 깊이 차원을 생각하게 하는 영화를 한 편 소개한다. 로빈 윌리엄스가 주연한 <미세스 다웃파이어>(Mrs. Doubtfire, 1993)다. 우여곡절 사연이 많지만 따뜻한 가족영화다.

매사에 계획적이고 진지한 미란다는 다니엘의 유쾌하고 자유분방한 성격이 멋져 보여 결혼한다. 세 명의 아이들이 태어나는 동안 다니엘은 여러 번 이직하고 집안 살림도 신경 쓰지 않는 철부지 같은 모습이다. 참다못한 미란다는 결국 이혼을 요구하고, 다니엘은 집에서 나간다. 그러나 부성애가 강했던 다니엘은 아이들과 떨어질 수 없었다. 궁리 끝에 다니엘은 '미세스 다웃파이어'라는 가정부로 위장해 자신의 집에 취업한다.

결혼 생활을 하는 동안 너무 힘들어서 밤늦은 시간에 혼자 운 적이 많았다는 미란다의 말에 깜짝 놀라며 그 당시에 왜 자신에게 얘기하지 않았느냐고 다니엘이 묻는 장면이 나온다. 미란다는 "당신은 유쾌한 이야기로 나를 웃게 할 때가 많았지만, 진지한 얘기를 나누는 것은 싫어했기 때문이야"라고 대답한다. 부부나 가족 간에도 서로 대화의 단계가 다름을 볼 수 있는 인상적인 장면이었다.

부부나 연인 사이에서 적어도 한 달에 한 번씩 묻기

"당신을 위해서 무엇을 해주면 기분이 훨씬 더 나아질 수 있는지 한 가지만 얘기해줘요."

감정을
다채로운 컬러로
표현하는 연습

요즘에는 상상하기 어렵지만 내가 어렸을 때는 흑백텔레비전조차 있는 집이 드물었다. 그러다가 컬러텔레비전이 나왔는데, 그걸 처음 봤던 날 신기하고 놀라웠던 기억이 지금도 생생하다.

우리의 물리적인 환경은 나날이 다채롭게 발달하고 진보하는데, 일상에서 자신의 감정을 표현하는 방식은 흑백 화면처럼 단순한 것 같다. '짱나, 화나, 좋아, 싫어, 기분 나빠, 슬퍼, 기뻐…' 몇 마디밖에 없다. 그렇게 한정된 단어로는 정확하게 나의 감정을 스스로 파악할 수도 없고, 상대방에게 전달할 수도 없다. 나 자신의 감정을 제대로 파악하고 전달하기 위해서 현재의 감정을 다양한 표현으로 풀어서 얘기해보자.

내가 원하는 어떤 것이 충족됐을 때, 가령 중간고사가 끝나서 홀가분할 때를 예로 들어보자. '시험이 끝나서 기분 좋아' 이렇게 단순하게 표현하지 말고 구체적으로 나 자신의 마음을 살펴보면 여러 가지 방식으로 표현할 수 있다. '마음이 후련하다, 긴장이 풀린다, 날아갈 것 같다. 홀가분하다' 등등. 감정의 표현이 여러 가지 물감의 화려한 색채처럼 다채롭다면 두 사람

간의 소통도 간결하고 명료해질 수 있다. 또 필요 없는 오해를 줄이고 서로의 마음이 열리면서 더욱더 깊은 관계를 맺게 된다.

우리의 느낌을 표현하는 여러 가지 표현들을 생각나는 대로 나열해보았다. 현재 자신의 느낌을 정확히 표현하기 어려우면 이 표를 참고해서 감정 상태를 체크해보고 상대에게 표현하면 더 풍요롭고 정확한 소통을 할 수 있을 것이다. 감정의 분류는 개인마다 다를 수 있지만 참고로 하면 좋을 것 같다.

감정을 나타내는 단어 (한국비폭력대화센터 자료 참조함)

기쁨/즐거움

가벼운( ) 감격스러운( ) 감동적인( ) 감사한( ) 경쾌한( ) 고마운( ) 끝내주는( ) 기쁜( ) 날아갈 듯한( ) 놀라운( ) 눈물겨운( ) 든든한( ) 만족스러운( ) 명랑한( ) 뭉클한( ) 반가운( ) 벅찬( ) 뿌듯한( ) 살맛나는( ) 삼빡한( ) 상큼한( ) 시원한( ) 신나는( ) 싱그러운( ) 유쾌한( ) 짜릿한( ) 즐거운( ) 통쾌한( ) 포근한( ) 행복한( ) 환상적인( ) 활기찬( ) 황홀한( ) 후련한( ) 흐뭇한( ) 흥분되는( ) 희망찬( )

슬픔

가슴 아픈( ) 걱정되는( ) 고단한( ) 고민스러운( ) 공포에 질린( ) 공허한( ) 괴로운( ) 낙담한( ) 두려운( ) 마음이 무거운( ) 멍한( ) 뭉클한( ) 미어지는( ) 부끄러운( ) 불쌍한( ) 불안한( ) 불편한( ) 비참한( ) 서글픈( ) 서러운( ) 앞이 깜깜한( ) 애처로운( ) 언짢은( ) 염려하는( ) 외로운( ) 우울한( ) 울적한( ) 의기소침한( ) 절망적인( ) 창피한( ) 처량한( ) 측은한( ) 허전한( ) 허탈한( ) 황량한( ) 황망한( )

놀라움

곤혹스러운( ) 골치 아픈( ) 긴장한( ) 놀라운( ) 당황스러운( ) 당혹스러운( ) 머리칼이 곤두서는( ) 어지러운( ) 정신이 번쩍 드는( ) 충격적인( ) 화끈거리는( )

심란함

캄캄한( ) 답답한( ) 막막한( ) 불안한( ) 아득한( ) 의아한( ) 이상한( ) 절망적인( ) 피곤한( ) 한스러운( ) 혼란스러운( )

사랑

감미로운( ) 감사하는( ) 그리운( ) 다정한( ) 따사로운( ) 묘한( ) 뿌듯한( ) 사랑스러운( ) 상냥한( ) 순수한( ) 애틋한( ) 열렬한( ) 열망하는( ) 친숙한( ) 포근한( ) 호감 가는( ) 화끈거리는( ) 흡족한( )

미움

고통스러운( ) 괴로운( ) 귀찮은( ) 끔찍한( ) 미운( ) 부담스러운( ) 서운

한( ) 싫증나는( ) 쌀쌀한( ) 야속한( ) 얄미운( ) 억울한( ) 원망스러운( )
죄스러운( ) 증오하는( ) 지겨운( ) 짜증나는( ) 차가운( )

바램

간절한( ) 갈망하는( ) 기대하는( ) 바라는( ) 부러운( ) 소망하는( ) 약
오르는( ) 절박한( ) 조급한( ) 초라한( ) 초조한( ) 호기심 나는( ) 후회스
런( ) 희망하는( )

파워

가소로운( ) 공허한( ) 기대고 싶은( ) 거만한( ) 당당한( ) 대단한( ) 든든
한( ) 뿌듯한( ) 안전한( ) 압도되는( ) 약한( ) 어리숙한( ) 우스운( ) 자랑스
러운( ) 자신만만한( ) 자유로운( ) 힘이 빠진( )

'좋다' '나쁘다'는 자신의 특별한 느낌을 아직 제대로 파악하지 못했을
때 사용하는 경우가 많다.

미세먼지가 잔뜩 끼어서 뿌연 회색이었던 하늘이 비가 내린 후 흰 구름
떠가는 맑고 푸른 하늘이 되는 것처럼, 감정을 선명한 언어로 표현하면 그
만큼 삶이 생생하고 선명해진다.

자신의 감정 알아차리기

우리는 오랫동안 자신의 감정을 겉으로 드러내지 않고 속으로 삭이며

살아왔다. 이제 하루에 세 번씩, 지난 세 시간 동안 내가 무슨 감정을 느꼈는가를 기록해보자. 구체적인 사건과 그 사건에서 느낀 감정을 차근차근 적어본다. 자신의 감정을 잘 알아차리는 것이 중요한 이유는 나에게 꼭 필요한 욕구를 채우고 상대와 소통을 제대로 잘 하기 위해서다.

내가 자주 느끼는 감정 세 가지는?

사람마다 감정이나 생각을 표현하는 방식은 다르다. 바다가 여기저기서 물을 받아들이기만 하고 내보내지 않는 것처럼, 감정이 느껴져도 내색하지 않고 속에 담아두는 사람이 있다. 그 사람은 자신만의 감정과 생각, 경험이 있지만 말하는 것을 좋아하지 않는다. 반면에 물이 계속 졸졸 흐르는 시냇물처럼 자신의 눈과 귀로 보고 듣는 모든 것을 입 밖으로 내보내는 사람도 있다. 만일 커플 간에 감정을 표현하는 방식이 서로 다르다면, 매일 그날 일어난 일 세 가지와 그에 대해 느낀 점을 서로 나누는 시간을 갖는 것이 도움이 될 것이다.

진짜 소통이 무엇인지 잘 보여주는 영화가 있다. '비포' 시리즈다. 에단 호크(제시)와 줄리 델피(셀린)가 주연을 맡은 <비포 선라이즈>(Before Sunrise, 1995), <비포 선셋>(Before Sunset, 2004), <비포 미드나잇>(Before Midnight, 2013)은 그야말로 '소통이란 이런 것이다'를 제대로 보여주는 영화 시리즈다.

시리즈의 첫 번째라 할 수 있는 <비포 선라이즈>는 제목 그대로 '해가 뜨기 전까지' 하룻밤 새에 일어나는 일을 그리고 있다.

이 영화에서 나오는 두 사람의 이야기 중에 귀에 쏙 들어와 박히는 내용이 있었다.

"커플(부부)들은 나이가 들수록 상대의 이야기 소리를 듣기 힘들어진대. 남자는 고음을, 여자는 저음을 듣는 능력이 떨어진다고 해. 이것은 상대의 얘기를 적당히 알아듣지 못하게 해서 서로 죽이지 말고 함께 잘 늙어가라는 자연의 섭리야."

"퀘이커교의 결혼식에서는 한 시간 정도 무릎을 꿇은 채 말은 한 마디도 하지 않고 서로의 눈을 바라보며 신의 계시를 기다리는 의식이 있대."

두 대사 모두 이 영화가 보여주고자 하는 '소통'이라는 주제를 함축적으로 잘 드러내주는 것 같다.

<비포 선셋>은 비포 선라이즈의 후속작이다.

꿈같은 하룻밤을 이야기하면서 함께 보낸 두 사람은 6개월 후 비엔나에서 다시 만나기로 하고 헤어진다. 하지만 뜻하지 않은 상황 때문에 약속은 서로 어긋난다. 두 사람은 서로에 대한 기억만 간직한 채, 제시는 미국에서 셀린은 프랑스에서 각자 자신의 삶에 몰두하며 살아간다. 그리고 9년이 지난 어

느 날, 작가로 데뷔한 제시는 자신이 쓴 책을 홍보하기 위해 파리의 서점에 왔다가 우연히 서점에 들른 환경운동가가 된 셀린과 재회하게 된다. 제시의 신간 홍보 행사가 끝나고, 돌아가는 비행기를 타기 전까지 남은 시간은 2시간. 해가 지기 전까지의 그 짧은 만남동안 두 사람 간에 쉼 없이 나누는 대화가 이 영화를 구성한다.

<비포 미드나잇>은 '비포' 시리즈의 마지막 작품으로, 결국 결혼에 골인해서 함께 살고 있는 두 사람의 이야기다. 무대는 셀린이 살고 있던 파리. 이 영화에서도 두 사람의 대화 중 재미있는 대목이 나온다. 사고가 나서 혼수상태에 빠진 후 나중에 회복되어 깨어났을 때 남녀의 차이에 대해서다. 여자는 정신이 돌아오면 "애들은요? 우리 남편은요?" 하고 제일 먼저 묻는데, 남자는 자신의 소중한 '물건'을 제일 먼저 본다는 것이다. 기능을 하는지, 안 하는지….

영화는 운명의 짝이라고 생각했던 두 사람마저도 실제 부부가 되어서는 여느 부부들처럼 아옹다옹 다투면서 살아간다는 현실을 잘 그려낸다. 하지만 그렇게 곧 파국을 맞을 듯 위태로운 부부가 '대화의 끈'을 놓지 않은 덕분에 위기를 극복한다는 점에서 전편인 <비포 선라이즈>와 <비포 선셋>과 마찬가지로 '대화'를 통한 '소통'의 중요성을 잘 드러내는 영화라 할 수 있다.

겉으로 드러난 감정 아래 숨어있는 감정

우리가 느끼는 감정은 양파와 같다. 여러 겹으로 둘러싸인 양파 껍질처럼 우리의 감정도 층층이 덮여있을 수 있다는 뜻이다. 즉 진짜 감정이 가짜 감정에 의해 마스킹 되는 것이다. 예를 들어 상대방과 이야기할 때 짜증이 나거나 화가 날 때 한 겹 더 깊이 들어가 보면 외로움 때문일 수도 있고 슬픔 때문일 수도 있다. 이와 같이 어떤 감정이 일어날 때는 그 감정에 대한 감정, 즉 2차 감정이 있다.

2차 감정이란 표면에 드러난 감정 속에 숨은 근원적인, 진짜 감정을 말한다. 진짜 감정이 바로 드러나지 않고 다른 감정으로 마스킹 되어 나타나는 이유는 그 감정을 직면하기가 두렵거나 힘들기 때문이다. 하지만 진짜 감정에 정확히 접촉돼야 완전한 해소가 된다. 등이 가려울 때 장갑을 낀 채 두꺼운 겉옷 위로 긁으면 아무리 세게 긁어도 시원하지 않은 것과 같다. 가려운 그곳, 맨살을 손끝으로 정확히 긁어야 시원하게 가려움이 해결된다.

소통을 잘하기 위해서는 먼저 나 자신의 2차 감정이 무엇인지 잘 살펴야 한다. 그런 다음 상대방의 2차 감정도 잘 파악해야 한다. 역시 지기지피가 중요하다.

2차 감정에 대해 잘 이해할 수 있는 영화를 한 편 소개한다. 조쉬 더하멜(알렉스 웨들리)과 줄리안 허프(케이티 펠드만)가 열연한 <세이프 헤이븐>(Safe Haven, 2013)이다.

영화 속 일곱 살 아들은 죽은 엄마에 대한 그리움을 아빠에 대한 반항과 분노로 표출한다. 그러던 어느 날 집에 불이 났는데 자신이 소중히 간직해오던 엄마의 유품이 모두 불타없어진 걸 보고 펑펑 울면서 엄마가 보고 싶고 그립다는 진짜 감정을 비로소 표현한다. 분노의 반항아가 속에 감춰진 자신의 진짜 감정을 표현한 다음 천진난만한 일곱 살 아들로
돌아와 아빠 품에 안기던 모습은 가슴 뭉클한 잊지 못할 장면이었다.

또 헤일리 스테인펠드(네이딘), 블레이크 제너(데리언)가 주연한 <지랄발광 17세>(The Edge of Seventeen, 2016)도 추천할 만하다.

이 영화를 보면서 다시 한 번 느꼈던 것은, 아무리 꽉 막힌 사이라도 진정성 있는 소통이 이뤄진다면 순식간에 얼어붙은 마음이 녹아내리고 따뜻한 에너지가 두 사람 사이에 흐른다는 사실이다.

두 영화 속의 주인공은 각각 엄마 잃은 슬픔을 분노로 표현하거나 사랑과 관심을 받고 싶은 마음을 까칠한 반항으로 표현한다. 겉으로 드러난 행동은 말썽꾸러기 반항이지만 속으로는 슬픔의 눈물을 흘리고 있는 것이다. 그 슬픔을 있는 그대로의 모습으로 표현하고 그 감정을 잘 다루어야 상처가 제대로 아물고 진정한 소통을 할 수 있다.

나 공감하기와
상대 공감하기

우스갯소리 가운데 식당에 온 커플이 부부인지 불륜이지 알아보는 방법이 있다고 한다. 언뜻 봐도 서로 먹는 것에만 집중하고 있다면 틀림없는 부부 사이고, 서로 눈을 바라보며 쉼 없이 대화를 나눈다면 불륜이라는 거다. 참 씁쓸한 유머다.

진정한 대화는 '공감적'인 대화다. 상대방의 생각이나 감정, 원하는 것을 이해하려는 입장에서 공감하며 듣는 것이 중요하다. FBI에서 적을 포섭하기 위해 활용하는 방법이 '공감'이라고 한다. 예를 들어 상대방이 미래에 대해 걱정하는 얘기를 한다면 집중해서 끝까지 잘 들어준 다음 '그래서 미래를 생각하면 불안하신가 봐요' 이런 식으로 반응하는 것이다.

충고나 조언은 상대방의 말을 집중하여 듣기보다는 자기 자신이 말하는 것에 집중하는 방식이다.

'나 공감하기'는 내 몸이나 마음, 느낌, 생각, 내가 원하는 것이 무엇인가를 정확하게 알아보는 것을 말한다. 따라서 나 공감하기의 목적은 자기 자신을 제대로 발견하는 것이다. 자기발견에는 경험·해석·감정·욕구·행위 등 다섯 가지 영역이 있다. 어떤 자극(사건)이 있을 때 그 자극을 해석하고 반응(감정·생각)한다. 즉 오감을 통해 경험하고 해석한다. 우리의 감정은 자동차의 계기판처럼 생존과 결부되어 본능적으로 그 자극에 대해 호·불호 상태를 표현한다. 정확히 자기발견하게 되면 정체되었던 에너지가 돌고 생기를 되찾게 된다.

상대가 웬일인지 과민하고 방어적 태도를 보일 때는 자존심이나 자아상, 자신감을 건드린 경우일 수 있다. 상대가 과거 경험했던 일이나 그 부모와 관계된 상처가 마음 어느 구석에 남아 있다가 나의 말이나 행동이 그곳을 건드리면 자신도 모르게 예민한 반응이 나온다.

아픈 상처가 건드려졌을 때는 참을 수 없는 본능적, 충동적인 성향이 드러난다. 마치 치아 신경치료를 할 때 신경을 건드리면 온몸에 찌릿한 통증이 퍼져 나가는 것과 비슷하다.

'상대 공감하기'는 상대방의 지금 현재 마음, 느낌, 생각, 상대가 원하는 것이 어떤 것인가를 마음으로 헤아려보는 것을 말한다. 하지만 오랜 훈련을 받은 사람이 아닌 한 상대를 정확하게 알 수는 없다. 따라서 추측을 할수밖에 없다. 상대의 말을 들을 때 그의 얼굴 표정이나 몸짓, 목소리의 크기와 억양, 제스처 등을 관찰하면서 상대의 마음과 생각, 상대가 원하는 게 무엇일까, 필요한 게 무엇일까를 동시에 추측해야 한다.

물론 쉽지 않다. 그래서 노력이 필요하고 항상 의식하는 자세가 요구된다. 상대가 하는 말의 내용만 곧이곧대로 받아들이고 비언어적인 메시지에 신경을 쓰지 않는다면 온전한 소통이 되지 않는다. 예를 들어보자. 학교에서 괴롭힘을 당하는 아이가 집에 돌아왔다. 그때 집안일에 열중한 엄마가 아이의 얼굴을 쳐다보지도 않고 "왔어? 학교에서는 별일 없었어?"라고 물으면 아이는 "네, 별일 없었어요."라고 단답형으로 대답하면서 자신의 힘듦을 내색하지 않을 수 있다. 그럴 경우 엄마는 아이의 실제 상태를 파악하지 못하고 아이를 도와줘야할 기회를 놓칠 수 있다. 이럴 때 '나 공감하기'와 '상대 공감하기'를 염두에 두고 대화를 나누면 내가 원하는 것을 정확하게 전달할 수 있고, 상대가 원하는 것을 정확하게 이해할 수 있게 된다. 불필요한 오해가 생길 이유가 없다.

'5-3=2'는 아무리 깊은 '오해'라도 천천히 '세 번'을 생각해보면 충분히 '이해'할 수 있다는 일종의 말장난 개그다. 이 개그 속에 나 공감하기와 상대 공감하기의 본뜻이 다 녹아 있는 것 같다. 나 자신을 먼저 공감하고 상대를 제대로 공감해준다면 두 사람 사이에는 에너지 흐름이 원활하고 사랑이 흐르게 된다.

다음은 상대 공감하기 연습이다.
공감적인 대화의 방법은 다음과 같다. 상대가 대화를 시도하면 무슨 일을 하고 있는 중이었건 간에 일단 멈추고 집중해서 들어야 한다.
– 상대방에게 시선을 고정한다.

- 다른 일을 동시에 하지 않는다. 상황이 정 안 된다면 상대에게 양해를 구하고 대화를 10분^(혹은 필요한 시간만큼) 뒤로 미룬다.
- 상대방의 감정에 주의를 기울인다.
- 보디랭귀지를 주의 깊게 살핀다.
- 상대방의 얘기를 중간에 가로막지 않는다.
- 상대방의 얘기를 다 듣고 '아 그랬구나.'로 응답한다.

이쯤에서 공감적인 대화가 돋보이는 영화를 한편 소개한다.

크리스 에반스(닉 본)와 앨리스 이브(브룩 달튼)가 열연을 펼친 <비포 위고>(Before We Go, 2014)다.

개인적으로 별 다섯 개를 주고 싶은 좋은 영화다. 제목만 보고 '비포' 시리즈의 하나로 오해할 수 있지만 출연 배우와 내용 모두 전혀 다른 별개의 작품이다. 남자 주인공 닉은 오디션을 위해 뉴욕에 온 트럼펫 연주자. 본래 의대생이었지만 음악을 위해 학교를 포기한 남자다. 영화는 사람들이 분주하게 오가는 기

차역 앞에서 닉이 거리의 악사처럼 트럼펫 연주 버스킹 하는 장면과, 브룩이 보스턴행 마지막 기차를 놓치지 않기 위해 휴대폰을 떨어뜨린 줄도 모르고 정신없이 달려가는 모습으로 시작된다. 그리고 하룻밤 동안 두 사람 사이에 일어난 에피소드를 꽁냥꽁냥 그려낸다.

이 영화에서는 남자 주인공 닉이 끊임없이 조잘대는데, 그 대사에서 대화의 기술에 대한 힌트도 얻을 수 있다. 친구와 심한 말다툼을 하는 도중에 닉은 친구에게 불쑥 내뱉는다.

"숨 좀 쉬자."

그렇게 잠시 흥분을 가라앉히고 숨을 고르며 자기 공감의 시간을 가진 후, 닉은 차분하게 이야기를 이어나갔고, 대화를 잘 마무리한다.

남편과 헤어질 각오로 집을 나왔던 브룩이 결국 남편에게 다시 돌아가기로 결정하면서 했던 이야기도 인상 깊다.

"인생 최악의 밤이 어떻게 인생 최고의 밤이 될 수 있었을까?"

"이제 도망치지 않으려고요. 싸워보지도 않고 포기하면 나 자신을 용서하지 못할 것 같아요."

여자의 'no'
남자의 'no'

자, 우리 함께 생각해보자.

남성이 성관계하기 싫다고 말할 때 무슨 의미인가?

하기 싫으니까 싫다고 말하는데 거기에 무슨 의미가 있나 반문할지도 모른다.

여성이 전통적인 성규범 때문에 혹은 관계에 대한 확신이 없어서, 임신·낙태·성병 등 여러 가지 현실 문제 때문에 성관계를 하고 싶지 않다는 의사를 표현할 때, 그 표현을 곧이곧대로 받아들이지 않는 남성이 많다. 실은 섹스를 원하면서 겉으로는 싫다고 한번 튕기는 정도로 받아들이기 때문이다. 이런 현상 속에는 한국 사회의 전통적인 남녀 성역할에 대한 편견과 고정관념이 뿌리박혀 있다. 남성의 성 행동은 강하고 적극적, 주도적인 반면 여성의 성 행동은 약하고 소극적, 수동적이기 때문에 속으로는 좋으면서 싫다고 거절한다고 보는 것이다.

미국의 고민상담 칼럼니스트 앤 랜더슨은 여자가 성관계를 거절하는

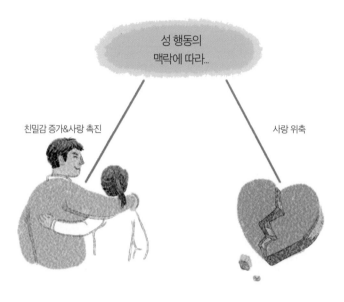

성 행동의
맥락에 따라...

친밀감 증가&사랑 촉진　　　　　　　　　　　사랑 위축

의미가 궁금하다는 한 남성의 질문에 "여성이 '노'하면 그것은 '글쎄'라는 의미고, 여성이 '글쎄'라고 대답하면 '좋아'라는 뜻이고, 만일 여성이 '좋아'라고 대답한다면 그 여성은 정숙한 여성이 아니라는 의미다."라는 코믹한 답변을 했다고 한다. '세바시'에 출연한 양동욱 교수가 소개한 이야기다. 이어서 양 교수는 이 이야기 속에 '여자들이여, 정숙한 여성이 되려거든 자신의 성욕을 드러내지 말라!' '남성들이여, 여성은 겉으로 표현하는 말과 속마음이 다르다. 그 표현을 그대로 받아들이면 너는 바보다!'라는 메시지가 담겨 있다고 분석했다.

이와 같이 성적인 의사소통에 있어서 남녀 간에 서로 오해와 불협화음이 있다면 데이트 성폭력으로 이어질 수도 있다. 실제로 설문조사를 했을 때 여성이 거절해도 설득하겠다고 한 남성의 비율이 78%, 설득을 통해 결국 성관계를 하게 될 것이라고 예측한 비율이 62%나 됐다고 한다.

여러 경우를 통해 알 수 있듯이 남성은 상대가 하는 거절의 말을 그대로 받아들이지 않는다. 특히 여성이 거절 의사를 '우회적'으로 표시하면 대부분의 남성은 그 말을 제대로 알아듣지 못한다. 그러므로 여성 자신이 원하는 성적 행동의 한계를 분명하게 표현하고, 거절할 때는 무슨 이유 때문인지 명확히 표현해야 한다. 또 그 말을 들은 남성은 상대가 하는 말을 그대로 받아들여야 한다. 친밀한 관계에서의 섹스는 설득과 요구에 의해서가 아니라 자연스러운 합의에 의해 이루어져야 한다. 성 행동은 상황이나 그 맥락에 따라 친밀감이 증가하고 사랑이 촉진되기도 하지만 사랑이 오히려 위축되거나 깨질 수도 있다는 걸 잊지 말아야 한다.

우리 사회의
성문화 생각해보기

불과 얼마 전까지 우리 사회는 성에 있어서 이중규범과 남성 중심적 성문화, 이성애 중심주의의 지배를 받아왔다. 400만 명 이상의 관객을 끌어모았던 청춘 로맨스 영화 <건축학 개론>도 이런 잘못된 인식을 그대로 드러냈다.

'서연'과의 사랑 때문에 고민 상담을 청한 승민에게 '납뜩이'가 들려주는 해법이다.

"일단 술을 먹여서 취하게 만들어! 취하면 업어! 침대에 눕혀! 끝!"

이런 남성 중심적 시각이 팽배한 사회에서는 성폭력 피해자조차 남성의 구애를 받아들인 여성이 되고 만다. 여기저기서 미투 운동이 일어날 정도로 요즈음 여성의 성적 자기결정권이 중요해지고 있는데 만일 이런 일이 일어난다면 당연히 성범죄자로 처벌을 받을 수밖에 없다.

실제로도 매스컴을 통해 여러 유명인사가 과거에 저지른 잘못 때문에 그동안 쌓아온 업적과 능력, 유명세에 상관없이 하루아침에 사회에서 매장되고 그 대가를 혹독하게 치르는 것을 종종 접하게 된다.

'밤 말은 쥐가 듣고, 낮말은 새가 듣는다.'고 하지 않던가. 세상에 비밀은 없다. 특히 요즘처럼 정보가 거의 실시간으로 전 세계로 퍼지고 공유되는 시대에는 말할 것도 없다. 언제 어디서나 양심을 지키고 상대의 의사를 잘 듣고 존중하는 자세가 필요하다.

대부분 남성들은 사랑에 대해 제한적인 시각을 가지고 있어서 사랑과 성을 혼동하거나 동일한 개념으로 사용한다. 반면에 여성들은 함께 시간을 보내거나 서로에게 관심을 갖고 의미 있는 대화를 나누는 것 등을 모두 사랑으로 인식한다. 부부 사이에서도 남편은 성관계가 친밀감을 표현하는 유일한 방법이라고 생각하는 반면 아내는 성관계가 친밀감을 표현하는 많은 방법 중 하나라고 생각한다.

우리나라 기혼여성의 성 만족도가 서양에 비해 상당히 떨어진다는 여러 연구가 있다. 또한 부부관계에서 오르가슴을 느끼지 못하거나 거의 느끼지 못하는 비율도 상당히 높다. 이윤미의 논문에 의하면 오르가슴을 전혀 또는 잘 느끼지 못하는 '오르가슴 장애집단'의 경우 '오르가슴 정상집단'에 비해 자신의 배우자와 성에 대한 대화가 더 적었고, 원하는 성행동을 적극적으로 표현하는 경향도 적었다. 또 성행동도 다양하지 못했으며 현재 배우자와의 성행동을 즐기지도 못하는 것으로 나타났다.

'오르가슴 장애집단'의 경우 배우자의 성지식 수준이 낮은 경우가 많았다. 따라서 여성은 물론 배우자에 대한 성교육과 성 의사소통 교육이 필요하다.

성 의사소통은 상대방이 선호하는 성행동을 알 수 있는 가장 좋은 방법이다. 일상적인 의사소통이 개방적이고 솔직한 사람일수록 성 의사소통 역시 직접적이고 적극적이라는 연구결과도 있다. 그런데 여성의 경우에 일상적인 의사소통은 잘하지만 성 의사소통은 잘 못하는 경우가 많다. 그 이유는 대부분 개인적인 성태도의 차이 때문이다. 성태도가 개방적일수록 성적·일상적 의사소통을 둘 다 잘한다.

성에 대한 태도가 개방적인 사람들은 성 의사소통 역시 적극적이고 직접적이며 성 만족도가 높다. 반면에 성태도가 폐쇄적인 사람들은 성 의사소통이 소극적·간접적이며 성 만족도 역시 높지 않다.

국내 연구(문혜숙)에 의하면 한국 부부의 경우, 남성 위주의 사고방식이 강하고 상대방을 배려하는 게 약하다. 성관계도 남자 위주로 이루어지고 아내는 쑥스럽고 부끄러워서 성에 대한 의사소통을 제대로 하지 못한다. 이는 '성에 대해 관심을 보이는 것은 정숙하지 못한 여성'으로 규정된 사회적 분위기 탓이다.

실제로 진료실에서 수십 년 동안 결혼생활을 했지만 오르가슴을 평생 단 한 번도 경험하지 못했다는 여성을 많이 만난다.

"남편과 그런 얘기를 서로 나눠보셨나요?"

이렇게 물어보니 바로 부끄러운 듯한 표정으로 답한다.

"어떻게 그런 얘기를 해요. 쑥스럽게…"

안타깝고 때로는 답답하기도 하다. 남편과 허심탄회하게 소통할 수만 있어도 더 만족스러운 성생활을 할 수 있을 텐데 말이다.

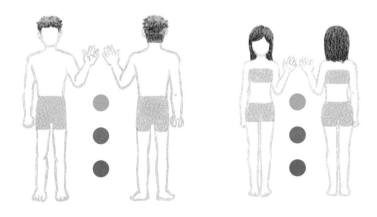

♥ Sexually sensitive area ♥   ♥ Sexually sensitive area ♥

헤어지지 않고 수십 년간 해로한 부부는 갈등이 없거나, 운이 좋거나, 성생활이 아주 좋아서가 아니라 상대에 대해 잘 알고 서로를 좋아하기 때문이라고 한다.

그래서 부부나 커플이 터놓고 대화를 하면서 '러브맵'(love map)을 그려보면 좋을 것 같다. 부부치료 전문가인 가트만 박사에 의해 알려진 러브맵은 커플 간에 자신이 살아온 경험, 가치관, 미래 계획 등을 함께 나누는 대화를 통해 서로 상대방의 세계를 알아가면서 서로의 마음과 사랑을 확인해가는 사랑의 지도다. 여기에 추가로 신체지도를 펴놓고 두 사람의 성에 대해서도 허심탄회한 대화를 나누면 금상첨화일 것 같다. 각자 성적으로 민감한 부위(성감대)나 원하는 성적 행동, 섹스에 대해 자신이 느끼는 감정이나 상대에게 바라는 점 등을 솔직하게 터놓고 얘기할 수 있다면 더욱 좋다. 그런 이야기를 나눈다는 게 다소 쑥스럽고 민망하게 느껴질 수 있겠지만, 이 과정을 한번 거치고 나면 두 사람이 성에 대해 개방적인 태도가 되어 점차 자연스럽게 성에 대해 얘기할 수 있는 분위기가 조성될 것이다. 또한 개방된 성 태도는 더욱 친밀하고 만족스럽게 교감하는 성행동의 초석이 된다.

성 태도를 개방적으로 만들기 위해서는 먼저 자신의 성의식을 점검할 필요가 있다. 어느 면에서 사고가 경직되지는 않았는지, 혹시 그렇다면 자신도 기억하지 못하는 어린 시절의 경험 또는 TV 등의 대중매체나 학습의 영향을 받았을 수도 있다.

러브맵 질문지

1. 내 파트너의 절친 이름을 안다. (예 / 아니오)

2. 최근에 파트너가 스트레스 느끼는 일에 대해 알고 있다. (예 / 아니오)

3. 최근에 파트너를 자극했던 어떤 사람의 이름을 안다. (예 / 아니오)

4. 내 파트너의 일생일대의 꿈이 무엇인지 알고 있다. (예 / 아니오)

5. 내 파트너의 종교적 신념과 사상에 익숙하다. (예 / 아니오)

6. 내 파트너의 기본 인생철학에 대해 말할 수 있다. (예 / 아니오)

7. 내 파트너의 친척을 알고 있다. (예 / 아니오)

8. 내 파트너가 좋아하는 음악에 대해 안다. (예 / 아니오)

9. 내 파트너가 좋아하는 영화 세 가지를 안다. (예 / 아니오)

10. 내 파트너는 나 자신의 최근 스트레스에 대해 알고 있다. (예 / 아니오)

11. 내 파트너의 삶에서 가장 특별한 순간 세 가지에 대해 알고 있다. (예 / 아니오)

12. 내 파트너가 어린 시절에 겪었던 가장 힘들었던 일에 대해 안다. (예 / 아니오)

13. 내 파트너의 인생에서 중요한 희망과 포부를 알고 있다. (예 / 아니오)

14. 내 파트너가 최근에 걱정하고 있는 일에 대해 알고 있다. (예 / 아니오)

15. 내 파트너는 내 친구들을 안다. (예 / 아니오)

16. 만일 내 파트너가 갑자기 로또 당첨이 된다면 무엇을 하게 될 것인지 안다. (예 / 아니오)

17. 내가 파트너를 처음 만났을 때의 인상을 자세히 얘기할 수 있다. (예 / 아니오)

18. 내 파트너는 내가 최근에 느끼는 스트레스에 대해 잘 알고 있다. (예 / 아니오)

19. 난 내 파트너가 나를 매우 잘 알고 있다고 느낀다. (예 / 아니오)

20. 내 파트너는 내 인생의 희망과 포부를 잘 알고 있다. (예 / 아니오)

(예/아니오 로 답변하고 예가 10개 이상이면 관계양호

'사랑'의 탈을 쓴 폭력, 데이트 폭력

"열 번 찍어 안 넘어가는 나무 없다" "용감한 자가 미인을 차지한다."라는 말이 있다. 어렸을 때 읽었던 동화 '선녀와 나무꾼'도 있다. 모두 왜곡되고 집착적인 사랑을 마치 낭만적 사랑인 것처럼 인식하게 하고, 불평등한 남녀관계가 마치 지고지순하게 구애하는 과정인 것처럼 여기게 만든다. 이런 표현이 여과 없이 받아들여지는 사회라면 스토킹조차 합리화될 수 있다.

데이트하는 커플은 암묵적으로 성행동이 허용된 사이라고 생각하기 쉽다. 하지만 아무리 사귀는 사이라 해도 일방적인 스킨십이나 성관계를 강요해서는 안 된다. 스킨십이란 두 사람의 동의하에 진행되는 애정 행동이어야 한다. 한쪽의 일방적인 의사에 따라 강제로 이뤄지는 것은 스킨십이 아니라 폭력이다.

데이트 성폭력은 여성의 20.5%가 경험하는 흔한 일이지만 지금까지 우리 사회에서 이를 사랑의 행위 혹은 개인적인 성문제로 치부하는 경우가 많았다. 하지만 이젠 분위기가 많이 달라졌다. 최근에는 결혼한 부부 사이에서도 원치 않는 일방적인 성관계를 강간이라고 판결한 사례도 있다. 상대가 원한다 해도 자신이 원치 않는다면 요구에 응할 필요가 없다. 확실한 자기표현으로 적절하게 거절할 수 있어야 한다.

'데이트 폭력'에 대한 개념을 신체적인 폭행이라고만 정의하면 지나치게 좁은 의미의 해석이라 할 수 있다. 이런 경우 신체적인 폭행이 가해지지 않으면 폭력이 아니라고 볼 가능성이 높다.

미국의 젠더 폭력 연구자 에반 스타크(Evan Stark)는 강압적 통제(coercive control)도 폭력의 하나라고 정의한다. 에반 스타크에 따르면 여성들이 경험하는 폭력은 신체적으로 얼마나 심하게 공격당했느냐 하는 것뿐만 아니라 여성들의 삶을 통제하고 지배함으로써 여성들의 자유와 자율성을 침해하는 것까지 포함된다. 연인이나 부부 사이에서 남성이 여성의 귀가시간이나 친구들과의 여행, 옷차림, 머리 모양, 사교활동 등에 대해 간섭하고 통제하는 것을 남녀관계에서 발생하는 자연스러운 현상으로 받아들이거나 여성에 대한 남성의 애정이나 관심으로 해석하는 것은 큰 문제라는 것이다.

다음은 성적 의사결정권과 성적 의사소통에 대한 연습이다. 성 의사소통 훈련을 위해서는 NVC(Nonviolent Communication, 비폭력대화) 프로그램을 활용하면 좋을 것 같다.

성적 의사결정권
- 성적 의사결정을 할 때 무엇이 영향을 미치는가?
(성적 느낌, 파트너의 요구, 미디어의 영향, 가정교육, 종교 등)

– 이 결정이 다른 의사결정과 같은 점과 다른 점은?

성적 의사결정권이 왜 중요하며 '노!'라고 말하기 위해 필요한 것은 무엇인지 생각해보자(자신에 대한 좋은 느낌, 명확한 의사소통, 자신의 결정에 따를 것, 파트너의 압력과 싸우는 것 등).

거절하는 요령 익히기

이성 친구가 다음과 같이 말할 때, 직장상사의 무언의 압력을 받을 때 나의 권리와 인격을 지키기 위해 어떤 식으로 대응해야 할지 생각해보자.

– 직장 상사의 은근한 성적인 요구가 있을 때

(_____)

– 네가 날 사랑한다면 넌 응해줄 거야.

(_____)

– 우리 나중에 결혼하자!

(_____)

– 우린 서로 사랑하잖아? 원래 사랑하는 사이는 이런 거 하는 거라구!

(_____)

– 걱정하지 마. 키스만 할게. 날 믿어 봐.

(_____)

커플 사이의 성 의사소통 유형

앞서 얘기했듯이 성적인 자기표현은 극히 개인적인 성적 특성, 즉 성에 대한 생각·감정·행위·신체적 감각·성적인 어려움·성적인 절정감·성적 욕구·관심과 흥미·욕망·좋아하는 것과 싫어하는 것·동기·성적 기쁨 등과 성관계를 한 후의 마음 상태 같은 모든 것을 상대방에게 말로 표현하는 것이다. 성에 대해 의견을 나누는 소통의 형태에 따라 커플 간의 성적 만족도가 달라진다. 따라서 성관계에 대한 자신의 생각과 느낌, 의견을 적극적으로 표현하는 성 의사소통이 매우 중요하다.

성 의사소통 유형은 네 가지로 나누어서 설명할 수 있다. (브렌튼과 변금령 참조)

첫째, 의례적인 수동형이다.

일상의 대화는 피상적인 형태로 이뤄지며 사실과 감정만을 단순하게 표현한다. 성에 관련해서는 이것도 저것도 아닌 애매한 표현으로 일관한다. 부정적이며 보수적인 성태도를 취한다. 자신을 잘 드러내지 않으며 성관계를 요구하는 일도 거의 없다. 다만 상대가 성관계를 원할 때는 자신이 원하지 않더라도 피동적으로 응해준다. 자신보다는 상대의 기분이나 입장을 먼저 고려하고, 자신의 의견이나 자신이 원하는 것을 솔직하게 표현하지 못한다. 상대와의 관계를 유지하기 위해 원치 않는 성행동을 받아들일 가능성이 높다.

둘째, 독단적인 자기중심형이다.

상대의 입장이나 기분은 고려하지 않고 즉흥적이고 충동적으로 자신의 의사를 솔직하게 표현하거나 감정적으로 대응한다. 반면 자신에게 불리하거나 곤란한 상황에서는 회피하는 경향이 있다. 상대방에게 어떤 자세나 행위를 일방적으로 요구한다. 독재적이고 공격적인 대화 방식 때문에 자칫 논쟁으로 번질 수도 있다. 자신이 성관계를 원하지 않을 때는 배우자가 원하더라도 응해주는 일이 거의 없지만 자신이 원할 때는 적극적으로 요구한다.

셋째, 회피하는 방관자형이다.

가장 문제가 많은 유형이다. 자신의 문제인데도 마치 방관자인 것처럼 자신의 의견을 좀처럼 꺼내지 않으며 성에 대한 대화 자체를 회피한다. 자신의 요구도 표현하지 않고 상대방의 요구도 수용하지 않는다. 성생활의 질과 사랑의 단계가 낮고 성관계 및 부부관계에 매우 부정적인 영향을 미친다.

넷째, 문제에 직면하는 상호 교류형이다.

방관자적 유형과 정반대의 유형으로 가장 바람직한 형태다. 문제를 직시하고 책임감 있게 자신의 감정을 솔직하게 표현한다. 문제를 해결하기 위해 민감한 주제도 피하지 않는다. 자신이 어떠한 행동이나 말을 해도 교제 상대가 다 이해해줄 것이라 믿는다. 이러한 믿음을 바탕으로 성생활과 관련된 자신의 의견이나 요구, 감정 등을 솔직하게, 논리적이고 분명하게 표현한다. 설사 원하지 않았던 성관계라 할지라도 적절히 합의하고 자신이 원하는 바를 주장한다. 즉 성관계에 대한 통제력을 가지고 있으며 자신이 요구하는 것과 상대가 원하는 것을 동등한 수준에서 적절히 조율할 줄 안다. 성생활의 질과 만족도가 가장 높다.

모든 커플이 반드시 이 가운데 한 가지 유형에 해당하는 것은 아니다. 두세 가지 유형을 넘나들기도 하고, 때로는 어느 유형에도 속하지 않을 수도 있다.

성 의사소통 유형과 사랑 간의 관계를 알아보면 상호교류형은 사랑의 3요소(친밀감, 헌신, 열정)가 모두 높게 나타나고, 방관자형은 열정과 헌신이 가장 낮게 나타난다. 그리고 상호교류형은 다른 유형에 비해 성적 자기 노출 수준이 매우 높다.

다음에 제시된 몇 가지 성 관련 질문지를 통해 자신의 유형을 파악해보자. (이윤미 논문을 참조함)

성 의사소통 관련 질문지

아래 문항은 부부(커플)의 성에 대한 대화와 성태도에 대한 질문이다.
자신이 평소 성에 대해 생각하거나 어떻게 행동하는지 해당하는 곳에 √ 표시한다.
(결혼 전 커플인 경우는 배우자를 파트너로 대체함.)

	내용	전혀 그렇지 않다	별로 그렇지 않다	약간 그렇다	매우 그렇다
1	나는 배우자와 성에 관한 것을 솔직하게 이야기한다.				
2	배우자에게 우리의 성관계에 대해 이야기를 꺼내면 배우자는 전혀 대꾸하지 않는다.				
3	배우자는 내가 성적인 매력이 없다고 불평한다.				
4	배우자는 내가 성적인 기교를 배울 필요가 있다고 말한다.				
5	배우자는 내가 성에 관한 문제를 터놓고 이야기 하지 않는다고 불평한다.				
6	우리 부부는 성생활에 대해 허심탄화하게 대화한 적이 없다.				
7	배우자는 내가 배우자와의 성관계를 진정으로 원해서 하는지 잘 모르겠다고 말한다.				
8	나는 배우자와 성관계에 대해 세세한 것까지 이야기하더라고 전혀 무안하거나 당황하지 않는다.				
9	배우자는 내가 성관계 후 만족스러워하는지 만족스러워하지 않는지를 알아차린다.				
10	배우자는 내가 성생활에 만족하는지를 알려고 하지 않는다.				
11	요즘 사람들에게는 성적이 자유가 너무 많다.				
12	성적인 자유가 증가함으로 인해 많은 가정에 불화가 늘어나고 있다.				
13	사람들이 성에 대한 정보를 너무 많이 접하고 있다.				

14	결혼하지 않은 사람이 성관계를 자유롭게 한다는 것은 사회질서가 부패하고 있다는 신호이다.				
15	외도는 절대로 용서받을 수 없다.				
16	요즘 사람들은 너무 성에 집착한다.				
17	오늘날 영화나 TV에서 성적인 장면을 너무 보여준다.				
18	포르노 영화는 전부 없어져야 한다.				
19	결혼한 사람들은 자위행위를 하지 말아야 한다.				
20	다른 사람들하고는 성에 대한 이야기를 하지 말아야 한다.				
21	성교육은 성에 대한 관심과 호기심만을 더 증가시킨다.				
22	동성연애자는 정신병자다.				
23	사람들 앞에서 지나친 성적 애무는 하지 말아야 한다.				

* 평가방법

2,5,6,7,10, 14~23번 -역채점 문항

(점수가 높을수록 개방적 성태도)

성지식 질문지

아래 문항은 성지식에 관한 질문이다. 자신이 생각하기에 문항의 내용이 맞는다고 생각되면 '맞다'에,
틀리다고 생각되면 '틀리다'에 √ 표시한다.

	내용	맞다	틀리다
1	대부분의 사람들이 어느 정도 동성애적인 행동을 행하는 것은 정상적으로 성장한 결과이다.		
2	남성들은 여러 번의 오르가슴을 경험할 수 있지만 여성들은 그렇지 않다.		
3	혼전 성관계가 혼외 성관계를 경험하는 사람들은 대개 성충동 수준이 평균보다 높다.		
4	여성이든 남성이든 오르가슴 후 일정 시간 동안에는 성적 자극에 더 이상 반응할 수 없다.		
5	성적인 무기력의 원인은 거의 항상 심리적인 것이다.		
6	성관계를 맺는 유일하게 정상적인 방법은 음경의 질 삽입을 통해서이다.		
7	성교로 발생하는 여성의 오르가슴은 음핵의 직접적인 자극에서 오는 오르가슴보다 육체적으로 더 많은 만족을 주지만, 더 높은 성숙 수준을 요구한다.		
8	남성과 여성 사이의(입에서 성기로의) 구강성교는 종종 동성애적인 성향을 나타낸다.		
9	결혼 전 성관계를 맺는 여성은 그렇지 않은 여성들보다 혼외 성관계를 많이 맺는 성향을 보인다.		
10	폐경기가 가까워지면 임신에 대한 두려움이 사라지므로, 여성의 성 충동이 증가할 수 있다.		
11	조루는 음경이 지나치게 민감해지는 것과 같은 신체적 요인 때문에 생긴다.		
12	여성들은 남성들보다 더 나이든 후에 성적 욕구의 절정 수준에 이른다.		
13	술은 성적인 자극 수준을 떨어뜨린다.		

14	평균적으로 10대 소녀들은 10대 소년들보다 성충동이 강하다.		
15	여성 색광은 성적 욕구가 너무 강해서 절정에 아주 쉽게 도달하고, 여러 번의 오르가슴을 경험할 수 있다.		
16	여성의 성욕은 자궁이 제거되더라도 변하지 않는다.		
17	여성이든 남성이든, 중년이나 그 이후에는 자위행위를 거의 하지 않는다.		
18	결혼한 사람이 자위행위를 한다면, 그것은 그 사람이 결혼에 잘 적응하지 못하고 있다는 징표이다.		
19	대부분의 남성들은 한때 자위행위를 하는 시절이 있지만, 여성들은 그렇지 않다.		
20	남성의 음경 크기는 여성이 경험하는 성적 만족에 직접적으로 관련이 있다.		
21	성적으로 흥분되면, 여성의 음핵은 남성의 음경처럼 더 커지고 더 단단해진다.		
22	동성애와 이성애는 성적 기술이나 생리적 반응이 별 차이가 없다.		
23	사람들은 이성애자인지 동성애자인지 확연히 구분된다.		
24	인간의 성은 대개 문학적 맥락에서 학습된다.		

* 평가방법
(정답-1점, 틀리면-0점)
총점이 높을수록 성지식이 높음을 의미함.

성적 자기주장성 관련 질문지

다음 중 배우자(파트너)와의 성행활에서 본인의 행동과 유사한 것에 √ 표시한다.

	내용	전혀 그렇지 않다	별로 그렇지 않다	보통	약간 그렇다	매우 그렇다
1	나는 애무해달라고 배우자에게 표현한다.					
2	원하는 부위에 애무해주기를 기다린다.					
3	성기를 애무해달라고 배우자에게 표현한다.					
4	배우자가 성기를 애무해주기를 기다린다.					
5	성교를 원하면 배우자에게 표현한다.					
6	여성이 애무를 요구하기보다는 남자가 해주길 기다려야한다.					
7	'노'라고 말했더라도 배우자가 강요하면 나는 키스한다.					
8	배우자가 가슴을 만지려 할 때에 내가 싫으면 거절한다.					
9	배우자가 성기를 만지려 할 때 내가 싫으면 거절한다.					
10	싫더라도 배우자의 요구에 따라 애무해준다.					
11	싫더라도 배우자가 원하면 성교한다.					
12	배우자가 요구하더라도 내가 싫으면 성교를 거절한다.					

* 평가방법
  (문항 점수합이 높을수록 성적 자기주장을 많이 하고 있음을 의미함.)

성 만족도와 부부 만족도 질문지

다음은 성생활과 결혼생활의 만족도에 관한 질문이다.
자신이 해당되는 곳에 √ 표시한다.

	내용	전혀 그렇지 않다	별로 그렇지 않다	약간 그렇다	매우 그렇다
1	나는 배우자와의 성생활에 만족한다.				
2	나는 배우자와의 성행활에 행복감을 느낀다.				
3	나는 전반적으로 내 결혼생활에 만족한다.				
4	나는 전반적으로 내 배우자에게 만족한다.				
5	나는 전반적으로 결혼관계에 행복감을 느낀다.				

* 평가방법
  (문항 점수합이 높을수록 만족도가 높음을 의미함.)

PART 5

행복한 삶을
위한
이야기

서로 맞물려 돌아가는 톱니바퀴
– 생각, 감정, 행동 사이

    나는 몇 년 전 심리학을 본격적으로 공부했다. 심리학이 재미있었고 관련 서적을 읽는 것만으로는 충분하지 않았기 때문이다. 의학은 20대 학창 시절에 의무로 공부했지만 심리학은 중년의 나이에 스스로 원해서 시작했기 때문에 배우는 모든 과정이 신나고 행복했다. 그때의 어느 날이었다, 수업을 받기 위해 즐거운 마음으로 운전하고 가는 길에 과속 탐지 카메라에 찍히고 말았다. 라디오에서 흘러나오는 음악을 감상하며 가느라 약간 과속된 걸 알아차리지 못한 탓이었다. 그런데 차가 카메라에 찰칵 찍히는 그 순간, 마치 번개가 번쩍하는 것처럼 느껴졌다. 그러고는 방에 켜진 밝은 등이 갑자기 꺼지면 방안이 순식간에 어두워지듯이 정말 신기하게도 그 순간에 '내가 도대체 무슨 짓거리를 하고 다니는 거지?' 하는 생각이 들었다. 바로 그 직전까지만 해도 중년의 나이에 학구열에 불타서 없는 시간 쪼개어 가며 심리학 공부를 한다는 사실이 스스로 자랑스럽고 신났는데, 한순간에 내가 너무 한심한 사람으로 느껴진 것이다. 마치 루저가 된 기분이었다.

상황이 달라진 건 하나도 없었다. 바뀐 건 단지 내 감정. 내 생각이었을 뿐. 마치 마음속에 온/오프 스위치가 있어서 그 순간에 부정적 사고의 스위치가 켜진 것 같았다. 단 몇 초 동안에 너무나 극명한 감정의 롤러코스터를 강렬하게 경험한 뒤 나는 마음속의 스위치를 믿게 되었다.

물론 난 부정 스위치가 올라갔던 그 순간을 잘 정리했다. 그리고 다시 마음속의 '긍정' 스위치에 불을 켜고 나머지 과정을 해피엔딩으로 잘 끝마쳤다. 심리학 공부 덕분에 삶이 훨씬 평온하고 풍요로워졌고, 의사로서 환자를 대할 때도 몸만이 아니라 마음 상태까지 함께 헤아리는 심리학적 관점을 갖게 되어 환자와 더 깊은 마음의 교류를 할 수 있게 되었다.

이처럼 우리가 느끼는 기분은 외부의 사건 때문이 아니라 생각에서 일어난다. 생각이 감정을 만들어낸다. 새끼 오리가 어미 오리를 따라다니듯 감정이 생각을 따라다닌다. 또 감정에 치우치면 내 생각이 정확한지 확인할 수가 없다. 우리가 우울함을 느끼는 이유는, 그 순간에 부정적인 생각을 하기 때문이다. 자기를 괴롭히는 부정적 생각에는 언제나 심각한 왜곡이 포함되어 있다. 이를 인지왜곡이라고 부른다. 언제든지 자동적으로 떠오르는 인지왜곡이 있을 수 있으므로 이성적인 대응이 필요하다.

인지왜곡에는 어떤 내용들이 있을까?
미국의 정신과 의사인 아론 벡(Aaron Beck, 1921년~)은 우울증 환자들에게서 나타나는 인지적 왜곡을 다음과 같이 열 가지로 분류했다.

1. 전부 아니면 전무: 모든 일을 흑 아니면 백으로 보며 회색지대를 인정하지 않는다. 따라서 세상 사람은 친구 아니면 적일뿐이다. 사람들은 나를 싫어한다.

2. 과도한 일반화: 한두 가지 사건을 확대해석해 무리한 결론을 내린다. 한번 일어난 일(특히 나쁜 일)은 앞으로도 계속 일어날 것이라고 본다. 그래서 한번 바람을 피운 남편이나 남자친구는 언젠가, 틀림없이 또 바람을 피울 것이며, 한번 약속을 어긴 사람은 계속 어길 것이라고 본다. 한 가지 면에서 실패하면 다른 일도 실패한 것이라고 생각한다.

3. 정신적 여과: 자신의 '느낌'을 근거로 모든 것을 판단한다. 어떤 상황이든 부정적인 면만 골라서 상상함으로써 전체 상황을 부정적으로 본다. 설사 즐거운 일이 있어도 곧 나쁜 일이 생길 거라는 생각 때문에 즐거워할 수가 없다.

4. 임의적 추론: 아무런 관련도 없는 문제들을 임의로 관련 지어준다. 예를 들자면 소개팅을 한 상대방이 내가 보낸 문자에 답변이 없으면 나를 의도적으로 피한다고 생각한다.

5. 극대화/극소화: 어떤 일을 침소봉대해서 큰일처럼 과장하거나, 별일 아닌 것처럼 과소평가한다.

6. 자기충족적 예언: 확실한 근거도 없이 이제 곧 나쁜 일이 닥칠 것이라는 비현실적인 상상을 마치 현실인 것처럼 받아들인다.

7. 개인화: 자신과 상관없이 일어난 특정한 사건이나 상황을 자신의 문

제와 연결시켜서 해석한다. 예를 들자면 여자친구와 헤어지게 된 남자는 여자친구의 생각이나 상황과는 상관없이 자신이 시험에 떨어져서 여자친구와 헤어졌다고 믿는다.

8. 선택적 추상화: 중요한 것은 무시하고 부분적인 것을 전체적으로 확대해석한다.

9. 낙인찍기: 한 가지 행동이나 부분적 특징을 전체적인 것으로 단정한다. 시험에 한번 떨어졌을 뿐인데 스스로를 '나는 인생의 패배자야' 하는 식으로 받아들인다. 사업에 실패한 가장이 자신을 인생 낙오자로 생각한다.

10. 긍정격하: 좋은 일이 생겼을 때도 '사실은 좋은 일이 아니야' 하는 핑계를 자꾸 찾아낸다. 시험에서 우수한 성적을 거두었을 때에도 '운이 좋았을 뿐이야. 다음 시험에서는 분명히 성적이 떨어질 거야' 하고 그 가치를 스스로 낮춘다. 겸손을 가장한 자기비하다.

어떤 사건도 우리를 우울하게 만들 수 없다. 그 사건은 단지 일어났을 뿐이다. 그 자체가 좋은 것도 나쁜 것도 아니다. 다만 그 일을 부정적인 관점으로 해석하는 왜곡된 우리의 생각 때문에 자존감이 낮아지고 절망을 느끼고 우울해지는 것이다. 마음속에서 호시탐탐 기회를 노리고 있는 부정의 스위치에 불이 들어오지 않도록 늘 생각과 마음을 다잡아야 한다.

우울할 때는 어떻게 해야 할까?

항해하는 배에 구멍이 나서 물이 들어오는 것을 발견했을 때 올바른 해결책은 그 구멍을 얼른 막는 것이다. 배가 가라앉는 것은 배 밖의 바닷물 때문이 아니라 배에 난 구멍을 통해 배 안으로 스며들어오는 물 때문이다. 여기서 배는 우리의 머리, 구멍은 인지왜곡에 의한 우리 머릿속의 부정적인 생각들이다. 우리 속에 어떤 생각이 떠오르면 꼬리에 꼬리를 물고 부정적이고 고통스러운 생각들이 연이어 떠오른다. 즉, 인지왜곡에 의해 한 생각이 일어나면 비관적인 생각이 계속 이어지면서 마음이 불안하고 우울해진다.

사람들은 불안을 떨쳐버리려고 술을 마시거나 게임에 몰두하고 유흥을 즐기는 등 불안함에 직면하기를 피한다. 하지만 외부에서 해결책을 찾으려 하지 말고 자기 안에서 일어나는 생각을 점검하여 왜곡된 부분이 없는지 하나하나 짚어봐야 한다. 대개 우울해지면 의기소침해지고 에너지가 떨어지기 때문에 몸을 움직이기가 귀찮아져 칩거하기 쉽다. 그러면 더 우울해지고 우울하면 더 부정적인 생각을 하게 된다. 그래서 우울할 때는 일단 밖으로 걸어 나가 밝은 햇볕을 쬐면서 걷는 게 도움이 된다. 땀이 약간 날 정도로 빠르게 걷거나 운동을 하다보면 몸이 깨어나고 마음 상태가 바뀔 수 있다.

서로 맞물려있는 세 개의 톱니바퀴를 상상해보라. 그 중에 톱니바퀴 하나를 오른 쪽 방향으로 돌리면 나머지 두 개도 같은 방향으로 돌아간다. 만일 반대로 왼쪽으로 돌리면 나머지도 그 쪽으로 돌아간다. 우리의 생각,

감정, 행동도 세 개의 톱니바퀴처럼 서로 연결되어 있다. 그 중에 하나를 긍정 방향으로 움직이면 나머지도 따라오게 되어있다. 생각이나 감정을 의지로 바꾸기는 매우 어렵다. 우리가 실의에 빠져있을 때 누군가가 다가와 '힘내, 좋게 생각해. 다 잘 될 거야.'라고 위로해 줘도 말처럼 쉽게 기분이 달라지지 않는다. 하지만 상대적으로 행동은 바꾸기가 쉽다. 몸을 움직여 운동을 하면 엔도르핀이 몸속에 돌게 되어 기분이 좋아지고 깜깜하게 막혀있던 생각도 뭔가 돌파구를 찾게 된다. 그래서 몸을 움직이라는 얘기다. 활기찬 몸에 건강한 정신이 깃든다.

만일 어떤 일 때문에 자존감이 하락했다면, 그걸 회복시키기 위해 무엇을 어떻게 할 수 있는가를 구체적으로 찾아봐야 한다. "도대체 뭐하는 거야, 그것밖에 못해?" 하는 자아비판이 마음속에서 일어날 때, 자신이 과거에 성취했던 일, 현재 잘하고 있는 것을 찾아내어 하나씩 열거하면서 스스로 반박해보는 것도 한 방법이다.

예를 들어 시험을 보고 나서 '이번 시험을 망쳤으니 다음 시험도 죽을 쑬 거야' 이런 생각으로 불안하거나 무슨 일 때문에 화가 많이 나서 숨이 가빠지고 가슴이 두근거린다면 일단 눈을 감고 심호흡을 하는 것으로도 진정될 수 있다.

바람이 세차게 집안으로 불어 닥쳐 커튼이 휘날리고 책상 위에 종이가 흩날리고 집안이 어수선해진다면 열려진 창문부터 얼른 닫은 후 어질러진 집안을 정리하는 게 순서다. 눈을 감고 호흡을 가다듬는 것은 우리 몸의 창문을 닫고 차분히 몸과 마음을 가다듬는 과정이다.

일단 허리를 곧바로 펴고 앉아 입을 다물고 코로 숨을 깊이 들이마시며 공기가 코로 들어와 배가 크게 불룩해지도록 한다. 그 상태로 잠시 멈춘 후 천천히 입술을 조금 벌리고 후~ 하면서 내쉰다. 이렇게 심호흡을 몇 번 반복하면서 내 몸 어느 곳에서 어떤 감각이 느껴지는가를 찬찬히 살펴본다. 그러면서 과거에 성공했던 크고 작은 경험을 찾아내보면 큰 도움이 된다. 최근 경험이 아닌 초등학교나 중학교 때의 기억도 괜찮다. '나도 이런 성공의 경험들이 있었잖아!' 하고 떠올리다보면 서서히 인지왜곡에서 벗어날 수 있다.

상대를 바꾸고 싶다면?
먼저 나를 바꿔라!

예전에는 심리학이나 교육학 책에서 주로 보던 용어였는데, 최근에 대중화되어서 일상생활에서도 자주 쓰이는 표현이 있다. 그중 하나가 피그말리온 효과다. 긍정적인 기대나 관심이 사람에게 좋은 영향을 미치는 효과를 말한다. 일이 잘 풀릴 것으로 기대하면 잘 풀리고, 안 풀릴 것으로 기대하면 안 풀리는 경우를 모두 포괄하는 자기 충족적 예언(self-fulfilling prophecy)과 같은 말이다. 자신이 만든 조각상을 사랑한 그리스 신화 속 피그말리온에서 유래되었다.

신화에 따르면, 조각가 피그말리온은 세상의 그 어떤 여자보다도 아름다운 여인상을 조각하고 갈라테이아(Galatea)라는 이름을 붙여주었다. 그런데 문제는 피그말리온이 조각상 갈라테이아를 진심으로 사랑하게 된 것이다. 미의 여신 아프로디테는 피그말리온의 지고지순한 사랑에 감동해서 갈라테이아에게 생명을 불어넣어 주었다.

언젠가 어떤 상담 강의를 듣다가 '아, 저것이 바로 피그말리온 효과구나!' 하고 무릎을 친 적이 있다. 한 여성의 질문 덕분이었다.

"남편이 너무 속을 썩여요. 날마다 일은 안 하고 술만 마시면서 아이들이나 집안일에 관심이 없어요. 저는 매일 열심히 기도하고 절하는데 남편은 전혀 변화가 없이요. 제가 어떻게 해야 할까요?"

상담자는 간단하게 답했다.

"날마다 절하고 기도할 때 '우리 남편은 아무 문제가 없습니다. 잘하고 있습니다.'라고 하세요. 그리고 남편한테 술 먹는다고 잔소리는 그만하고 생각보다 일찍 집에 들어온 날은 칭찬도 하고 정성을 쏟아보세요. 그러면 서서히 변화가 올 것입니다."

그 상담자도 결국 피그말리온 효과를 이야기하는 것이다. 상대를 바꿀 수 있는 방법은 없지만 나를 바꿀 수는 있다는 거다.

이런 얘기가 나오면 "잘못은 상대가 했는데 왜 나를 바꿔야 되느냐" 하는 항의가 있을 수 있다. 물론 그럴 수 있다. 하지만 관점을 바꿔보라. 내가 바뀌면 상대도 자연히 바뀐다. 호수에 돌멩이를 던지면 물결의 파동이 주변으로 서서히 퍼져 나가듯이, 나에게서 비롯된 에너지의 파동이 상대방에게 영향을 주기 때문이다.

남편이 매일 술을 먹고 들어오면 아내는 그때마다 바가지를 긁고 또 남편은 그 잔소리가 듣기 싫어 화를 낸다. 어찌 보면 당연한 순서다. 심리학 이론 중에 구두점 이론이 있다. 아내는 남편이 술 마시고 늦게 들어오기 때문에 잔소리를 하는 거고, 남편은 집에 들어오면 아내의 잔소리가 지겹기 때문에 술 마시고 늦게 들어온다는 것이다. 끝이 나지 않는 부부싸움의 악순환이다. 이럴 때는 마침표를 어디에 찍느냐에 따라 양쪽의 입장이 모두 타당하다. 고부갈등이 있을 때 안방에서 시어머니의 얘기를 들으면 그 말이 맞고, 부엌에서 며느리 말을 들으면 그 말도 옳다고 하지 않는가? 이 모든 게 구두점 원리와 관계가 있다.

이럴 때 나를 한번 바꿔보자. 술 먹고 들어오는 남편에게 웃는 얼굴로 "꿀물 타 드릴까요? 속은 괜찮아요?" 하고 물어보라. 처음에는 이게 무슨 짓인가 싶고, 안 하던 말을 하려니 어색하고 거부감이 생기겠지만 이렇게 자신의 행동을 바꾸게 되면 남편도 어떤 형태로든 바뀐다. 물론 쉬운 일은 아니다. 어쩌면 남편도 아내의 행동이 낯설어서 '웬일이래? 이 사람이 못 먹을 걸 먹었나' 하면서 비꼬거나 오히려 술을 더 많이 먹을 수도 있고, 아내의 변화가 생소해서 화를 내면서 부정할 수도 있다. 하지만 분명한 것은 나의 말과 행동이 이전과 바뀌면 그 변화된 파동이 상대에게 전달되어 상대의 반응도 이전과는 달라진다는 것이다. 그리고 나의 변화를 계속하면, 상대는 결국 내가 원하는 방향으로 바뀐다.

내가 바꿀 수 있는 유일한 것은 바로 나 자신이다. 피그말리온 효과는 말 그대로 '자성적 예언 효과'로서 내가 믿는 대로 이루어지는 경향이 있음을 보여준다. 첫인상이 좋고, 처음부터 호감 가는 사람은 좋을 만한 이유가 있다. 매력적인 외모를 가진 사람은 다른 사람에게 환대를 받는 경우가 많으므로 대인관계에서도 자신감을 갖게 된다. 또한 자성 예언 효과에 따라 우리가 좋게 느낀 인상이 상대에게 그대로 전달되기 때문에 상대는 우리의 기대에 합당한 행동을 하게 된다. 소통과 대화도 마찬가지다. 상대방에 대해서 '나쁜 놈'이란 관점을 가지고 있으면 본래 나쁜 사람이 아니었어도 시간이 흐르면서 실제로 그렇게 된다. 설사 다른 사람은 그를 좋은 사람, 괜찮은 사람이라고 보고 직장에서도 일 잘하고 친구들에게도 인정받아도 내가 그를 나쁜 사람이라고 생각하면 그의 모든 행동이 그렇게 보이고, 결국 그는 나에게 나쁜 행동을 하게 된다. 믿는 대로 이루어진다는 말도 있지 않은가.

아무리 훌륭한 사람이라도 무심코 행한 어떤 행동이 누군가에게는 상처로 받아들여졌을 수 있다. 세상에는 완전히 착하거나 완전히 나쁘기만 한 사람은 없다. 단지 내가 그 사람에 대해서 착하다고 생각하거나 나쁘다고 생각하는 어떤 관점이 있을 뿐이다. 관점에 따라 좋고 나쁜 게 달라질 수 있다는 얘기다.

피그말리온 효과가 대화나 소통에서 중요한 것은, 상대가 진정으로 바뀌기를 바란다면 먼저 내가, 그를 보는 내 생각과 마음을 바꾸어야 한다는 점이다. "네가 이렇게 행동해 줬으면 좋겠어."를 요구하기 전에 그를 보는 내 관점을 먼저 바꿔야 한다. 성경에도 '믿음은 바라는 것들의 실상이요, 보지 못하는 것들의 증거'라는 구절이 있다.

우리가 믿는 대로 실제로 이루어진다.

내로남불! 귀인 이론

우리는 뭔가 나쁜 일이 생겼을 때 '탓'을 하는 경우가 많다. 내 마음의 행복을 되찾고 안정을 유지하기 위해서다. 아리스토텔레스는 인간의 열정과 욕망이 추구하는 최고의 목적은 행복이라고 했다. 또 행복한 삶이란 인간의 모든 탁월성과 가치 있는 모든 활동이 인생 전체에서 충분히, 지속적으로 실현되는 삶이라고 했다.

다른 사람(상대방)이 어떤 나쁜 행동을 했을 경우에는 본래 인간성이 나빠서(그 사람 자체의 문제가 있어서) 그랬다고 얘기하지만, 내가 어떤 잘못을 저질렀을 경우에는 나는 그러고 싶지 않았지만 어쩔 수 없는 상황 때문에 그랬다고 상황 탓을 한다. 즉 남의 경우에는 그의 '성향'을 탓하지만 나의 경우에는 어쩔 수 없었던 '상황'을 탓한다. 남이 하면 불륜, 내가 하면 로맨스, 전형적인 내로남불이다. 이것이 사람들이 흔히 저지르는 '귀인오류'다.

하지만 '역지사지'를 해보면 상대방 역시 본래 인간성이 나빠서가 아니라 어쩔 수 없는 상황 때문이었을 수 있다.

이처럼 특정한 행동이 발생한 원인을 추론하는 것을 심리학에서는 귀인이론(attribution theory)이라고 한다. 문제의 원인을 외부로 돌리는 것을 '상황귀인'(狀況歸因, situational attribution)이라고 하고, 문제의 원인을 내부의 어떤 특정한 '성향' 탓으로 돌리는 것은 '성향귀인'(性向歸因, dispositional attribution)이라고 한다.

예를 들어보자. 어딘가 바삐 갈 일이 있어 운전하는 도중에는 느릿느릿 길을 건너는 보행자를 보면 답답하고 화가 난다. '조금만 빨리 건너면 좋잖아!' 하면서 '빵' 경적을 울리고 싶어진다. 하지만 운전자가 아닌 보행자가 되어 길을 걸어갈 때는 빵빵거리는 차들이 너무 위협적이다. '조금만 기다리면 금세 길을 건널 텐데 왜 저렇게 조급한가!' 하면서 운전자에게 짜증이 난다. 끼어들기도 마찬가지다. 내가 끼어들 때는 '그럴 만한 일이 있어서'이고 다른 차가 끼어드는 건 본래 운전 습관이 나빠서라고 생각하는 게 일반적이다.

가톨릭에서는 미사 중간에 '내 탓이오, 내 탓이오' 하면서 스스로 반성하는 시간이 있다. 종교를 떠나서 본받을 만한 삶의 한 방식이다. 역지사지는 멀리 있지 않다. 바로 우리 생활 속에 있다.

사실 우리는 어릴 때부터 '남 탓'을 하도록 알게 모르게 길들어져 왔는지 모른다.

예를 들어 아장아장 걸음마를 배우는 손자가 걷다가 넘어지면 우리 '할머니'들은 일단 방바닥에 '떼찌떼찌'를 했다. 금지옥엽 같은 손자를 넘어지게 해서 아프게 했으니 방바닥, 길바닥을 야단치는 것이다. 나 역시 우리 아이들이 어렸을 때 걷다가 넘어지면 애꿎은 방바닥을 떼찌하며 우는 아이를 달랬다. 그게 아이 편을 들어주는, 아이 마음을 달래주는 일인 줄 알았다. 하지만 아이가 넘어진 건 아이의 걸음걸이가 미숙해서지 방바닥의 잘못은 아니다. 그럼에도 어른들이 방바닥에 잘못이 있는 것처럼 야단을 친다면, 아이는 어떤 어려움이 생겼을 때 자신의 부족함이나 실수를 살펴보기 전에 외부 상황에 먼저 그 원인을 돌리는 잘못된 습성을 어린 시절부터 암암리에 배우게 될 것이다.

오래된 기성세대 때의 일인 게 아니라 요즘에도 아이가 있는 여느 가정에서 흔히 볼 수 있는 애교스러운(?) 모습 중 하나다. 그러면 이제 아이가 넘어졌을 때 어떻게 반응해야 할까?

"넘어져도 괜찮아, 일어나면 돼. 잘 일어날 수 있어." "많이 아파? 호~ 해줄게." "일어나는 거 할머니가 도와줄까?"

나에게 손자가 생기면 이제는 잘할 수 있을 것 같다.

연인 간에 이별의 원인을 어떤 상황에서 찾는 건 '상황귀인'이다. 그리고 그 사람의 성격이나 집안 환경 때문에 이별을 할 수밖에 없었다고 본다면 '성향귀인'적 분석이다. 하지만 상황귀인이건 성향귀인이건 간에 문제의 원인이 나한테 있을 수 있다는 걸 인식하지 못한다면 똑같은 패턴의 만남과 이별이 계속 반복될 수밖에 없다. 마치 제자리를 뱅뱅 도는 팽이처럼 한 치도 앞을 향해 나아가지 못하고 과거의 실수를 계속 되풀이하게 된다. 자기 자신의 주장은 하지 않고 언제까지나 나만을 생각해주고 나만을 배려하며 내 위주로 모든 것을 맞춰주는 사람은 세상 어디에도 없다. 반복되는 패턴에서 내 성향의 보완점을 찾아내야 한다. 나를 정확히 파악하고 보완하면 다음 연애에선 좀 더 성숙한 관계를 맺을 수 있게 된다.

'문제의 원인이 나'라는 건 자책하고 슬퍼하고 자기를 스스로 비난하라는 뜻이 아니다. 결국 문제를 해결하기 위해서는 내가 변해야 한다는 뜻이다. 또한 '후회'나 '회한'이 아닌 진정한 '반성'과 '성찰'을 통해 이별을 할 때마다 한 발씩 나아가는 성숙한 인격체가 되어야 한다는 뜻이기도 하다.

종족이 잘
보존되려면?

동물의 종이 보존되려면 당연히 생식능력이 필요하고, 생식을 하려면 교미가 잘 되어야 한다. 그런데 포식자의 공격 때문에 주변상황이 불안해서 수시로 도망을 가야 하거나 부적절하게 교미를 회피하게 되는 상황이 지속되면 생식이 보장될 수 없다. 즉 생존에 필요한 먹이 조달과 사냥, 쉴 곳 찾기 등에 많은 에너지를 써야 한다면 생식에 집중할 수가 없고, 따라서 종을 보존하는 데 불리하다.

인간도 마찬가지다. 당장 먹고 자고 입을 것을 마련하기 위해 돈을 버는 일에 온통 몰두하게 되면 모든 에너지를 생존 자체에만 쓰게 된다.

이처럼 생존을 위해 '보이지 않는 공격'에 맞서느라 늘 방어태세를 취하게 되면 가장 가까운 사람과도 오붓한 시간을 가질 마음의 여유가 없기 때문에 관계가 위태로워진다. 그러면 섹스를 할 여력이 없고, 아이를 낳아 키우고 사랑을 나눌 여유가 없어진다. 아울러 상상력을 발휘하거나 계획을 세우고, 놀고, 배우면서 다른 사람이 필요로 하는 것이 무엇인지 관심을 기울이는 능력도 약해진다. 결국 인간의 종 보존이 어려워질 것이다.

즉, 일차적으로 '생존'이 보장되어야 종 보존을 위한 다른 일들이 가능해진 다는 얘기다.

미국의 심리학자 에이브러햄 매슬로우(Abraham Maslow, 1908~1970년)는 인간의 기본적인 욕구를 연구하여 이를 '인간 욕구 5단계론'(Maslow's hierarchy of needs)으로 정리했다. 매슬로우가 분류한 다섯 단계의 인간의 욕구는 하위 단계부터 차례로 생리적 욕구, 안전의 욕구, 사회적 욕구, 자기존중의 욕구, 자아실현의 욕구다. 그리고 하위 단계의 욕구가 충족되어야만 그 위 단계의 욕구가 생겨날 수 있다는 의미다.

일단 여자들의 경우는 몸과 마음이 편안한 상태가 되어야 섹스가 가능하다. 남편이나 시댁과의 갈등, 속 썩이는 아이 등 성가시고 속상한 일이 있으면 섹스할 마음이 내키지 않는다. 스트레스가 없는 상태가 되어야 성욕이 생겨나는 것이다. 반면에 남자들은 여자와 달리 꽤 심한 스트레스 상황에서도 성욕이 일어날 수 있을 뿐 아니라 실제 발기와 삽입도 가능하다. 오히려 섹스를 통해 스트레스를 해소할 수도 있다. 확연한 남녀의 차이다.

남자의 입장에서 자신의 종을 잘 보존할 수 있는 방법은 의외로 복잡하지 않다. 아이를 실제 양육하는 '아내'(아이의 엄마)에게 잘해주면 된다. 아이의 엄마가 스트레스를 받지 않는다면 생식능력이 더 왕성할 수 있고, 태어난 아이를 돌보는 데도 역량을 더 잘 발휘할 것이기 때문이다.

아이가 엄마 뱃속에 있는 10개월은 태어난 후 10년의 세월과 맞먹는다는 말이 있다. 그만큼 태교가 중요하다는 얘기다. 임신 기간 동안 산모의 정서 상태나 건강 상태는 아기에게 중대한 영향을 준다. 가계가 대대로 잘 전승되길 바란다면 그 집안의 아이 엄마에게 잘 해줘야 한다. 즉 시어머니는 며느리에게 잘하고, 남편은 아내에게 잘해주면 된다. 엄마의 마음이 편안하고 행복하면 부부관계도 순탄하고 후세 양육에도 좋다.

시대 흐름과
성소수자에 대한
인식 변화

LGBT 즉 성소수자에 대한 인식은 시대마다 논란이 많았다. LGBT는 레즈비언(lesbian)과 게이(gay), 양성애자(bisexual), 트랜스젠더(성전환자: transgender)를 통칭하는 용어다.

정신분석학의 아버지라 불리는 프로이드는, 인간은 태어날 때 이성이나 동성 누구든 상대할 수 있는 능력을 지닌 상태라고 했다. 또, 1940년대와 1950년대에 성에 대해 광범위하고 획기적인 연구를 했던 킨제이는 사람들의 성적 정체성을 동성애나 이성애로 단정하기 어려우며 하나의 연속선상의 어느 부분에 해당한다고 결론지었다. 킨제이는 완전한 이성애자를 0, 완전한 동성애자를 6으로 규정하고 0에 가까울수록 이성애자, 6에 가까울수록 동성애자라고 했다. 중간에 해당하는 3은 양성애자다.

1952년에 나온 DSM-I(정신질환의 진단 및 통계편람)에는 동성애가 사회병질적 정신장애로 분류되어 있다. 하지만 1973년에 발표된 DSM-II에서는 동성애를 '성적 지향 장애'로 수정했고, 계속된 논의 끝에 1994년에 발간된 DSM-IV부터는 동성애라는 단어가 아예 삭제되었다.

나는 개인적으로 교육이나 훈계, 처벌로 성적 정체성을 교정할 수 없는 부득이한 경우가 있다고 생각한다. 킨제이 척도에 의하면 이성애 성향 쪽에 가까운 동성애자는 사회 환경에 의해 일시적으로 형성된 정체성일 수 있으나 완전한 동성애 성향 쪽에 가까우면 가까울수록 노력이나 의지에 의해 바뀌기 어려울 것이기 때문이다. 이성애자인 남자에게 남자를 사랑하라고 교육시키거나 이성애자인 여자에게 여자를 사랑하지 않으면 처벌한다고 위협하더라도 동성애의 감정이 억지로 생기지 않는 것과 마찬가지다.

진료실에서 성전환수술 후 호르몬 치료를 위해 병원을 찾는 환자를 종종 만난다. 성적 정체성이 당사자 입장에서는 얼마나 절실하고 중요했으면 생명을 건 대수술을 받고, 복잡하고 힘든 과정을 감수하는 걸까 생각하면 참 안쓰럽고 도와주고 싶은 마음이 든다.

우리 사회 구성원들이 자신의 삶과 '다른' 삶을 사는 사람을 '틀리다'고 배척하거나 비난하지 말고 다양성을 수용하고 포용하는 자세를 갖는다면 더욱 성숙되고 건강한 사회가 될 것 같다.

아픈 만큼
성숙해진다

오래된 인연이건 짧은 인연이건 혹은 첫사랑이건 몇 번째의 사랑이건 간에 이별은 아프다. 하지만 이별은 아픔만 주는 것이 아니라 아픈 만큼 배움을 준다. 오래된 어느 노래 가사처럼 '아픈 만큼 성숙해지는' 것이 만남과 이별의 힘이다.

이별도 사랑의 한 과정이므로 너무 아파하지 않으면 좋겠다. 자신에게 정말 맞는 사람을 찾는 과정이라고 생각하고 결혼하기 전에 몇 번의 이별 과정은 필수라고 생각하자. 중요한 것은 이별을 겪을 때마다 '이번 이별을 통해 내가 바뀔 점은 무엇인가. 무엇을 배워야 하는가. 내가 더 성장해야 할 부분은 무엇인가?'를 생각하는 것이다. 그러면 다음 만남이 더 업그레이드된다. 분노하고 억울해할 필요가 없다. 그래봤자 나만 손해다. 사람을 잘 못 본 거라면 안목을 더 키워라. 그렇게 이별을 성장의 발판으로 삼아라.

열매는 꽃이 떨어진 바로 그 자리에서 맺힌다. '이별'이 없다면 새로운 만남은 없다. 삐걱대던 사랑이 끝난 바로 그 자리에서 두근거리는 새로운 사랑이 피어난다는 것을 잊지 말아야 한다.

미국의 영화배우 메리 픽포드는 154cm의 단신이었지만 숱한 어려움을 뚫고 할리우드 명예의 전당에 헌액될 정도로 명연기를 펼치며 큰 사랑을 받았다. 그는 좌절을 겪는 이들에게 이런 조언을 남겼다.

"실패란 넘어지는 것이 아니라 넘어진 자리에 머무는 것이다."

나 역시 실패란 넘어짐 자체가 아니라 넘어진 채 일어나지 않는 것이라고 말하고 싶다. 넘어진 후에 훌훌 털고 일어나 앞을 향해 담담히 나아간다면, 실패한 그 지점이 바로 성장점이 될 수 있다.

'만남과 이별'에서 또 하나 잊지 말아야 할 것은 누구의 '탓'만 해서는 성장할 수도 없고 행복해질 수도 없다는 점이다. 어차피 그 사람은 떠났다. 그 사람을 탓하고만 있으면 나는 한 발도 나갈 수 없고, 한 치도 성장할 수 없다.

회복탄력성과
외상후 성장

몇 년 전 PTSD(외상후스트레스증후군)에 대한 강의를 들으면서 '트라우마를 겪은 사람은 스트레스만 받는 걸까? 트라우마를 오히려 성장의 계기로 삼는 사람은 없을까?' 하는 의문을 갖게 되었다. 그래서 관련 논문과 전문서적을 찾아보기 시작했다. 그러다 내 생각과 정확히 일치하는 '외상 후 성장' 분야가 있다는 것 그리고 그에 대한 본격적인 연구가 시작된 초창기 단계라는 사실을 알게 되었다.

또한 그와 관련된 연구를 중점적으로 해온 로렌스 칼훈(Lawrence G. Calhoun)과 리처드 테데시(Richard G. Tedeschi)라는 연구자들이 있음을 알게 되었다. 참으로 흥분되는 순간이었다. 그때 만난 책이 바로 그 연구자들의 저서인 <Posttraumatic Growth

in Clinical Practice>였다. 나는 새로운 분야를 알게 된 기쁨과 흥분으로 심리학 교수님·동료와 함께 이 책을 공동 번역했다. 그 결과 <외상 후 성장-상담 및 심리치료에의 적용>(Laurence G. Calhoun, Richard G. Tedeschi 공저 / 임정란 강영신 등 공역)이라는 책이 출판되었다.

그 내용 가운데 꼭 소개하고 싶은 부분이 있다. '회복탄력성'과 '외상 후 성장'과 관련한 이야기다.

외상 후 성장은 상실이나 실패, 질병, 이별 등 다양한 스트레스 사건을 경험한 후 회복은 물론 그 스트레스 사건을 겪고 오히려 더 긍정적인 변화를 하는 것을 말한다. 즉, 자기 자신이 더 강해진 느낌을 느끼고, 타인과의 관계에서 더 깊은 소통을 하게 된다. 그리고 인생철학과 가치관이 변화하면서 '오늘 살아서 해를 볼 수 있게 된 것만으로도 감사함' '어린아이가 방긋 웃는 모습만 봐도 행복함'을 느끼는 등 일상의 사소한 부분까지 감사하게 된다. 아울러 실존적인 영역에 관해 더 깊은 의미를 찾게 된다. 또 고통을 겪는 타인에 대한 연민과 동정심이 더 커지며, 자신을 타인에게 더 진솔하고 자유로운 방식으로 표현하기도 한다. 그리고 삶에서 진정으로 중요한 것에 대한 가치관이 변화되어 삶의 우선순위가 바뀌기도 한다. 즉 우리 삶에서 만나는 어려움을 디딤돌 삼아 오히려 정신적으로 더욱 성장 발전하는 기회로 삼는 것이다.

회복탄력성은 실패나 부정적인 상황을 극복하고 원래의 안정된 심리적 상태를 되찾는 능력을 말한다. 그러므로 회복탄력성이 좋은 사람이 외상 후 성장을 할 수 있다.

바닥을 쳐본 사람만이 더욱 높게 날아오를 힘을 갖게 된다. 회복탄력성은 마음의 근력과 같아서 훈련에 의해 얼마든지 키울 수 있다. 자신의 고난과 역경에 대해 긍정적인 의미를 부여하여 이야기하는 능력을 가진 사람이 회복탄력성이 높은 사람이다. 즉 자신이 겪은 어려움에 최대한 의미를 부여하고 긍정적으로 승화시켜서 말할 수 있는 사람이다.

심리학 치료 기법 가운데 내러티브 치료라는 게 있다. '남편과 사별했다' '어렸을 때부터 가정폭력에 시달렸다' '끔찍한 사고를 목격했다' 등 자신이 겪은 여러 가지 힘든 상황을 이야기로 표현해내며 상처를 극복하도록 돕는 치료법이다. 힘든 일을 겪은 사람이 그 일을 마음속에 묻어두고 표현하지 않으면 절망과 좌절, 슬픔, 우울 등과 같은 부정적인 에너지가 점점 증폭되어 거기에 압도당할 수 있다. 마치 밀폐된 방에 쓰레기가 쌓이면 점점 부패되고 가스를 생성하여 온 방에 가득 차게 되는 이치와 같다. 방문과 창문을 활짝 열고 쓰레기를 하나씩 꺼내다 보면 부패도 멈추고 악취도 밖으로 나가게 된다. 아울러 쓰레기더미 속에 묻혀서 보이지 않던 쓸 만한, 어쩌면 귀한 물건을 발견할 수도 있을 것이다. 즉 마음속에 꽁꽁 가두어둔 힘든 상처를 밖으로 꺼내어 얘기한다는 것은 봉인된 마음의 문을 여는 것과 같다.

실제로 나 자신도 심리학 공부를 시작한 후 정신분석 상담을 받았다. 그 당시에 마음이 힘든 일도 있었고, 한편으론 상담가가 되고 싶은 꿈이 있었기 때문이다. 상담자는 내담자에게 거울 역할을 해주는데, 만일 거울에 먼지가 끼어 있다면 내담자의 이미지를 명료하게 비춰줄 수 없기 때문에 자기분석을 통해 자신의 문제를 먼저 파악하고 해결해야 한다. 나는 원래 성격이 과묵하고 말수가 없는 편이어서 어린 시절부터 중년의 나이가 될 때까지 마음속의 여러 가지 힘든 일들을 한 번도 언어화시켜본 적이 없고 안으로만 삭이고 살았다. 정신분석이 진행되면서 나의 무의식 심연에 가라앉아 있던 오래된 일들과 그에 관련된 감정, 생각, 기억들을 생각나는 대로 모두 드러내어 언어로 표현하다 보니, 마음이 서서히 가벼워지고 편안해짐을 실감하게 되었다.

어둡고 무거운 마음을 언어화시켜서 표현하면 정리되지 않아 어수선했던 마음속이 정리되고 맘이 가벼워지면서 그 감정에 압도당해서 깨닫지 못했던 새로운 사실, 즉 그 어려움이 힘들기만 한 게 아니라 긍정적인 면도 있음을 스스로 깨닫게 된다. 자신이 겪어낸 힘든 일에 대해 새로운 의미를 부여하면서 마음속에서 그 일을 소화시키는 작업을 하는 것이다.

1950~70년대 하와이 카우아이섬은 주민 대다수가 범죄자나 알코올 중독자 혹은 정신질환자였다. 그래서 '왜 카우아이섬에서 자란 사람 가운데 범죄자가 많을까?' '아마도 가정과 환경이 영향을 주었을 것이다.'라는 가설을 세우고 미국의 여러 소아과·정신과 의사, 심리학자, 사회복지사들이 연구를 위해 그 섬에 들어갔다. 연구자들은 1955년에 카우아이섬에서 태어

난 신생아 833명을 대상으로 그들이 어른이 될 때까지 40년 넘게 추적 조사히는 대규모 종단연구를 시행했다.

연구의 목적은 한 인간이 엄마 뱃속에서부터 어른이 되기까지 살아가는 동안에 겪는 여러 가지 건강 문제나 사건·사고, 가정환경, 사회경제적 환경이 그의 인생 여정에 어떤 영향을 미치는가를 전체적으로 조망하는 것이었다.

처음에 연구자들은 무엇이 아이들을 사회부적응자로 만들고 그들의 삶을 불행으로 이끄는가에 초점을 맞추었고, 연구 결과는 상식과 크게 다르지 않았다. 즉 환경이 안 좋으면 그 영향을 받을 수밖에 없다는 것이었다. 그런데 심리학자인 에미 워너(E. Werner)는 전체 연구 대상자 중에서도 주변 환경이 특히 열악했던 201명을 가려내어 추적 조사했다. 그들은 공통적으로 극빈층에 가정불화가 심하고 부모가 별거/이혼 중인 상태거나 엄마/아빠가 알코올 중독 또는 정신질환에 걸려 있는 등 아주 열악한 환경에 처해 있는 아이들이었다. 연구 결과 문제행동을 일으킨 경우는 그중 3분의 2에 해당했고, 3분의 1(72명)은 뜻밖에 별다른 문제를 보이지 않았다.

에미 워너는 나머지 3분의 1이 "어떻게 이러한 열악한 환경에도 불구하고 훌륭하게 성장할 수 있었을까" 하는 데 관심을 두고 연구했다. 그 결과, 이들은 역경을 이겨낼 수 있는 공통적인 속성을 가지고 있다는 걸 알아냈다. 그것은 바로 회복탄력성이었다. '회복탄력성'(resilience)은 스프링이 눌러졌다가 원래대로 다시 튀어 오르는 것처럼 크고 작은 어려운 일을 극복하고 오히려 도약의 발판으로 삼는 능력을 말한다.

또한 에미 워너는 어릴 때 받는 무조건적인 사랑이 회복탄력성의 근간을 이룬다는 사실도 발견했다. 그 아이의 주변에 아이의 입장을 무조건 이해해주고 기운을 북돋아주는 어른이 적어도 한 명 이상 있었던 것이다. 그 존재는 엄마, 아빠, 할머니, 할아버지뿐만 아니라 학교 선생님일 수도 있고, 친구일 수도 있고, 종교 지도자일 수도 있고, 이웃집 아주머니일 수도 있다. 오늘날 우리 사회에서도 폐지를 주워 모아 팔며 힘겹게 생활하는 할머니가 엄마·아빠를 잃고 천애고아가 된 어린 손자를 '아이구, 내 새끼' 하면서 무조건적인 사랑으로 키워내는 경우를 볼 수 있다. 바로 그 할머니가 어린 손자의 큰 버팀목이 된다.

회복탄력성이
높은 사람의 사고방식

우리가 하는 모든 경험과 기억은 객관적으로 타당한 '진실'이 아니다. 일어나는 모든 일은 사실 '중립적'이다. 좋은 일, 나쁜 일의 구분이 없다. 무색 무취의 물과 같다. 그 물에 '달다, 쓰다' 등의 가치를 부여하는 것은 바로 나 자신이다. 즉 좋은 일이다, 나쁜 일이다 하는 판단은 내가 주관적으로 의미를 부여해서 내 스스로 만들어낸 허상이다. 마음이 외롭고 울적한 사람은 하늘에 뜬 달을 보고 "저 달이 나를 슬프게 만드는구나!"라고 할 것이고, 어떤 시인은 '달 속에서 방아를 찧는 토끼'를 노래할 수도 있다. 사실 달은 누구를 슬프게 만드는 존재도 아니고 토끼가 방아를 찧고 있는 곳도 아니다. 달은 달일 뿐이다. 거기에 의미를 부여하는 것은 달을 바라보는 사람의 마음 상태다.

회복탄력성이 낮은 사람은 자신에게 닥친 크고 작은 불행한 사건을 아주 개인적인 일로, 또 그 일이 항상 일어날 것처럼 영속적으로 또는 다른 일도 그럴 것이라는 보편적인 일로 여긴다. 반면에 긍정적이고 행복하며 회복탄력성이 높은 사람은 '이번 실패는 아쉽지만 실패는 누구나 할 수 있는 것이고 나만 실패한 것이 아니라 나 이외에도 실패한 사람이 많아. 그리고 이번 일에 실패한 것은 운이 나빠서고 어쩔 수 없는 상황이었어. 이 일에서만 실패했을 뿐 다른 일은 잘 처리하고 있잖아. 이 일이 실패했다고 내 인생의 모든 면이 다 실패한 것은 아니야!'라고 생각한다.

즉 회복탄력성이 낮은 사람은 나쁜 일에 대해서는 '내가, 언제나, 모든 면이 다 그렇다'라는 식으로 크게 생각하고, 좋은 일에 대해서는 '남도, 어쩌다가, 이번 일만 그렇다'라는 식으로 의미를 축소한다. 반면에 회복탄력성이 높은 사람은 나쁜 일에 대해서는 그 의미를 축소하고 좋은 일에 대해서는 더 크게 일반화시켜서 받아들인다. 이를 그림으로 그려보면 아래와 같다.

나쁜 일이 생겼을 때		좋은 일이 생겼을 때	
비관적인 사람	낙관적인 사람	비관적인 사람	낙관적인 사람
개인성 영속성 보편성	비개인성 일시성 특수성	비개인성 일시성 특수성	개인성 영속성 보편성

내 인생에서 일어난 사건이 내게 무엇을 묻고 있으며 무엇을 깨닫기를 바라고 있는가를 생각하면, 그리고 거기서 새로운 것을 배우게 된다면 '역경'을 의미 있고 풍요롭게 살 수 있는 '기회'로 전환시킬 수 있다. 즉 위기가

기회가 된다. 전화위복의 기회란 우연히 찾아오는 것이 아니라 적극적인 방식으로 대응한 결과물이다.

예를 들어 시험에서 예상보다 훨씬 더 좋은 성적을 받았을 경우, 이것을 어떻게 받아들이는가를 보면 회복탄력성이 높은지 낮은지 알 수 있다.

"내게 이렇게 좋은 성적을 주다니, 채점을 후하게 했군. 누구나 다 성적을 잘 받았겠군."(비개인성) vs "역시 나는 노력하면 되는구나."(개인성)

"어쩌다 이번 시험은 운이 좋았구나."(일시성) vs "역시 나는 시험 운이 늘 좋은 편이야."(영속성)

"이 시험은 어쩌다 잘 봤지만 다음 시험은 아마 망칠 거야."(특수성) vs "나는 다른 시험도 다 잘 볼 거야."(보편성)

그렇다면 회복탄력성을 높이려면 어떻게 해야 할까? 뇌를 긍정적으로 변화시키면 된다.

사람들은 각자 기본적인 수준으로 감정(행복)을 유지한다. 그러다 어떤 특정한 사건이 발생하면 그 순간 불행감이나 행복감을 느끼게 된다. 그 후 일정 기간(며칠~몇 개월)이 지나면 원래의 감정 수준으로 되돌아온다.

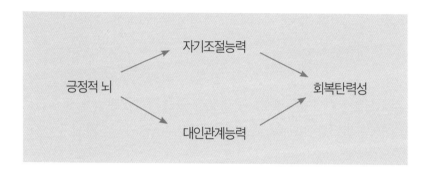

원하던 시험에 합격하면 행복의 극치감을 맛보지만 오래지 않아 그 기쁨은 서서히 수그러들고 평상시의 수준으로 감정이 되돌아간다. 또 사랑하는 사람과 헤어지면 세상이 끝난 것 같은 슬픔을 맛보지만, 어느 정도 시간이 흐르면 아픔의 기억도 조금씩 사라져간다. 즉 어떤 일이든 그것이 우리의 행복감에 미치는 영향력은 그 당시에는 상당히 강하지만 얼마간의 시간이 흐르면 사람들이 예상하는 것보다 훨씬 더 빠르게 '지나간 일'이 되어버린다. 따라서 기본적으로 유지되는 행복의 수준을 높이는 것이 중요하다.

긍정적 정서 훈련 등을 통해서 긍정적인 뇌로 변화시키면 행복의 기본 수준을 끌어올릴 수 있다. 만일 어떤 큰 목표를 이룰 때만 행복을 느끼는 것으로 생각하면 인생 대부분의 시간을 행복을 얻기 위해 애쓰고 노력하느라 허비하게 될 것이다. 하지만 목표를 향해 가는 과정을 잘게 쪼개어 그 여정마다 소소하지만 확실한 행복을 느낀다면 인생 전체가 행복해질 수 있다. 30대의 나 역시 그랬다. 행복은 아주 크고 거창한 감정이라고 생각했다. 그래서 웬만한 일에는 행복하다는 표현을 하지 않고 아끼며 살았다. 그러던 어느 가을날, 바로 옆에서 개원 중이던 어느 원장님이 잠깐 놀러 와서 했던 얘기가 나를 바꾸었다.

"오늘 하늘이 너무 맑고 구름도 예뻐서 행복해요."

그 말을 듣고 무엇으로 머리를 한 대 꽝 맞은 것처럼 큰 충격을 받았다. '아, 행복이라는 말을 이렇게 사소한 것에도 사용할 수 있구나!'

물론 요즘은 미세먼지가 심한 날이 많고 하늘이 맑은 날이 드물어 당연히 그럴 수 있지 하겠지만, 20년 전쯤이었던 그때는 하늘이 거의 날마다 맑았다. 하얀 뭉게구름도 늘 떠다녔고! 그런데, 그렇게 날마다 맑은 그 하늘을 보고 행복을 느낀다는 것이다.

그날부터 난 의식적으로 어디서든 크고 작은 일에 "행복하다"는 말을 남용하기 시작했다. 그래서 지금 더 행복을 느끼며 사는 건지도 모른다.

행복은 자기가 하고 싶은 일을 할 때 찾아온다. 주변의 기대나 사회의 기준에서 '그 일이 좋다'고 하니까 자신의 뜻과 상관없이 하게 되면 즐겁지도 않고, 억지로 하는 노동이 된다. 나 역시 학창 시절에는 공부를 의무로 했기 때문에 즐겁지 않았다. 어쩔 수 없어서 참아내며 했을 뿐. 하지만 중년의 나이에 스스로 하고 싶어서 시작한 심리학 공부는 진짜 신나고 즐겁고 행복했다. 손에 든 달콤한 사탕이 먹을수록 줄어드는 걸 보면서 안타까워하는 어린아이처럼 한 학기 한 학기가 지나갈수록 공부하는 시간이 끝나간다는 사실에 아쉽기까지 했다. 결국 행복은 내 삶에 대한 주도권을 내가 내 안에 갖고 있느냐, 외부 환경이나 다른 사람이 갖고 있느냐의 문제다. 로

또복권 1등에 당첨되어 하루아침에 벼락부자가 되었으나 그 부를 오래 지키지 못하고 수년 만에 탕진한 채 노숙자가 되거나 빈민층으로 전락하는 경우가 얼마나 많은가.

내가 가진 강점은 무엇인지 찾아내어 집중하고, 강점을 발휘하며 살아야 한다. 우리가 그동안 받아온 교육은 '너의 부족한 면을 보완하라'라는 것이었다. "너는 국어나 영어는 괜찮은데 수학 성적이 낮잖아. 이번 방학 때는 수학공부에 집중해봐." 이런 식으로 알게 모르게 우리 사회는 장점을 외면하고 단점에만 주목하며 살아오게 학습시켰다. 하지만 진정한 행복은 자신의 장점을 발견하고, 그것을 발휘하며 살 때 찾아온다.

회복탄력성의
구성요소

회복탄력성은 어린 시절의 경험에 의해서만 결정되는 것일까? 만약 그렇다면 회복탄력성이 낮은 사람은 평생 부모와 가정환경 탓만 하며 살 수밖에 없을 것이다. 그러나 어른이 된 후에도 스스로의 노력과 훈련에 의해 회복탄력성은 얼마든지 높아질 수 있다는 여러 연구 결과가 있다.

어떻게 하면 회복탄력성을 높일 수 있을까? 그것을 알기 위해서는 회복탄력성이 구체적으로 어떤 요소들로 이루어져 있는지 알아봐야 한다. 회복탄력성을 구성하는 요소는 자기조절능력, 대인관계능력, 긍정성 등이 있다. 각각의 구성요소를 더 구체화시킨 하위 요소 항목은 아래와 같다. (김주환, 회복탄력성 참조)

자기조절능력 = 감정조절력 + 충동통제력 + 원인분석력

대인관계능력 = 소통능력 + 공감능력 + 자아확장력

긍정성 = 자아낙관성 + 생활만족도 + 감사하기

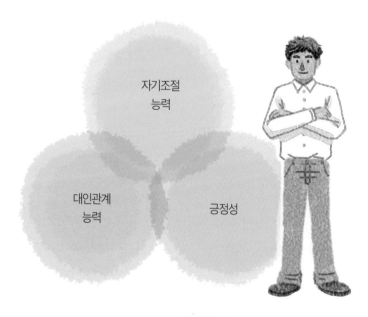

회복 탄력성

자신을 조절하는 능력과 소통·공감 능력을 키우기 위해서는 많은 교육과 훈련이 필요하다. 이 요소들 중 일상의 노력을 통해서 향상시킬 수 있는 것들을 살펴보자.

먼저, 긍정성이다. 자신의 실수를 긍정적으로 대하고 실수를 두려워하지 않도록 긍정적인 뇌로 훈련시켜야 한다. 반복적인 훈련으로 나에게 일어나는 크고 작은 고민거리나 어려운 일들을 순간순간 긍정적으로 받아들이고 대처할 수 있는 '습관'을 들여야 한다. 오늘 하루 있었던 일 가운데 감사해야 할 일 세 가지 정도를 찾아서 기록하는 '감사일기 쓰기'도 좋은 습관이다. 그러면 뇌가 점점 긍정적인 방향으로 변화된다. 상처받은 자리

에 감사가 더해지면 그 자리에서 성장이 일어난다. 컵에 절반쯤 들어있는 물을 보고 "절반이나 남았네!"라고 볼 것인가 "절반밖에 안 남았네."로 볼 것인가의 문제다.

우리 뇌는 부정적인 면에 집중하는 게 익숙하다. 그렇기 때문에 모자라고 결핍된, 실수한 측면을 크게 부각하고 집착하기 쉽다. 우리의 시선은 한 번에 한 곳만을 볼 수 있듯이 우리 마음도 부정적인 면에 집중할 때는 긍정적인 면을 보지 못한다. 집의 앞면만 계속 보다가 뒤뜰로 돌아가 뒷모습도 보고 옆모습도 보면서 집의 전체적인 모습을 파악하는 것처럼 우리에게 일어난 일들 역시 이모저모를 전체적으로 파악하여 바라볼 수 있는 여유를 갖게 되면 부정적인 감정에 휩싸이지 않고 빠져나올 수 있다.

실패했다, 잃었다고 생각하는 그 순간에도 잘 찾아보면 아직 내 수중에 남아있는 것과 다시 새롭게 얻게 된 것이 반드시 있기 마련이다. 이렇게 긍정성을 회복하는 훈련을 계속하다 보면 부정적이고 비관적인 뇌가 긍정적이고 낙관적인 뇌로 재회로화될 수 있다.

마치 차가 뻥 뚫린 고속도로를 달려가듯이 어떤 일이 생기면 우리의 뇌 회로는 습관적으로 부정적이고 비관적인 쪽으로 가려고 한다. 숲속을 산책할 때 풀이 우거져 발에 걸리는 길로 가지 않고 사람들이 많이 다녀서 잘 닦여진 길을 따라 걷는 것과 마찬가지다. 이때 '감사일기 쓰기'처럼 새로운 길, 긍정적인 길을 만들어내는 것이 바로 뇌의 재회로화다. 안 좋은 면만 생각하다가 억지로라도 감사할 내용을 떠올리다 보면 관점의 변화가 일어나는 것이다.

그러므로 힘든 순간에 우리를 도와줄 아름답고 건강한 경험과 추억들을 간직해둘 필요가 있다. 내면의 고통이 너무 심해서 삶이 온통 회색빛으로 느껴질 때가 있다. 그럴 때 우리는 도움이 필요하다. 우리에게 행복한 경험과 추억들로 가득 찬 커다란 창고가 있다면 때로 그것들을 하나씩 꺼내어 마음속의 아픈 응어리를 풀어주고 안아주는 데 요긴하게 쓸 수 있다.

또 남에 대한 배려나 봉사활동은 사람을 더욱더 행복하게 해주고 긍정성을 높여준다는 보고가 있다. 긍정성의 선순환이 일어나게 되는 것이다. 기분이 좋아지면 뇌에서 도파민이 많이 분비되고, 뇌의 다양한 영역을 활성화시키며 인지능력도 향상된다. 따라서 문제해결 능력이 높아지며 원만한 인간관계 역시 가능하게 한다.

회복탄력성 향상을 위한 두 가지 습관

1. 감사하기

- 매일 감사일기 적기
- 매일 잠자리에 들기 전에 그날 있었던 일을 돌이켜 생각하면서 감사
  할 일을 5가지 이상 적는다. (그날 있었던 일 가운데서 골라 구체적으
  로 적는다.)

  ▶ 3주간 매일 감사 일기를 쓰면 뇌가 긍정적인 뇌로 바뀐다.

2. 규칙적으로 운동하기

- 운동은 뇌의 혈액순환을 촉진하고 스트레스를 감소시키며 사고능력
  을 향상시킨다.
- 엔도르핀을 분비시켜준다.
- 몸과 정신의 건강을 향상시켜준다.

  ▶ 3개월 동안 꾸준히 운동을 하면 건강한 성인의 뇌에 새로운 신경세포가 나타난다. (생명공학연구소:

  솔크연구소. 컬럼비아대학 메디컬센터 스콧 스몰 교수)

은메달과 동메달, 누가 더 행복할까?

자본주의 사회는 무엇이든 줄을 세우고 등수를 매긴다. 학교는 물론 회사생활, 스포츠도 모두 마찬가지다. 아마추어 스포츠의 꽃이라고 불리는 올림픽도 마찬가지. 말로는 '참가에 의의를 둔다'고 하지만 금·은·동 메달권 안에 들지 못한 선수들은 고생한 티도 내기 어렵다. 오죽하면 '1등만 기억하는 더러운 세상'이라는 말이 나왔겠는가.

그런데 '메달'과 관련해서 재미있는 이야기가 하나 있다. 이야기를 시작하기 전에 우선 퀴즈 하나를 풀어보자. 아래 사진에서 누가 은메달이고 누가 동메달일까?

은메달을 딴 선수와 동메달을 딴 선수 중 누가 더 행복감을 느끼는가?

정답은 바로~ 동메달이다. 은메달은 계속 이기다가 마지막 결승전에서 패배하여 바로 눈앞에서 금메달을 놓쳤기 때문에 실망도 크고 아쉬움도 크다. 반면에 동메달은 마지막 경기인 3·4위전에서 승리했기 때문에 기쁨 속에서 경기를 마칠 수 있었다. '하마터면 메달권에서 벗어날 뻔했는데 천

만다행으로 따냈다!' 뭐 이런 느낌일 것이다. 분명히 등수로만 보면 은메달이 훨씬 더 좋지만, 시상식 때의 기분은 반대일 수 있다는 얘기다. 중간에 아픔은 있었지만 마지막을 승리로 장식한 동메달은 그래서 상대적으로 더 행복할 수 있다.

이처럼 마지막을 더 강렬하게 기억하는 것을 '최신효과'라고 한다. "사람은 말년 운이 좋아야 한다."는 우리 속담과도 일맥상통한다. 반대로 맨 처음에 받는 인상 역시 강렬하게 기억되는데 이것을 '초두효과'라고 한다. 풋풋한 대학 신입생 시절에 서로 만나 커플이 되어 몇 년 사귀다가 결혼한 친구 부부는 이제는 세월이 흘러 환갑이 가까운 나이가 됐지만 지금도 자기 눈에는 아내의 얼굴이 강의실에서 처음 봤던 그 모습 그대로 보인다고 한다. 처음 봤을 때의 그 생생함이 기억되는 것이다. 맨 처음 인상이 좋거나 맨 끝이 해피엔딩이면 설사 중간과정이 고생스러웠다 해도 전반적으로 좋게 기억된다. 그렇다고 중간과정을 무시할 수는 없다. 삶의 모든 과정은 연속선상에 있기 때문이다.

누구에게나 삶의 궁극적인 목표는 행복일 것이다. 학생이 공부를 열심히 하는 것, 안정된 직장에 취직하고 좋은 사람 만나 결혼하는 것, 여행하는 것, 맛있는 음식을 먹는 것, 취미 생활하는 것 등등은 모두 행복하게 살기 위한 노력이다.

하지만 행복은 모든 게 다 갖춰진 후, 나중에 찾아오는 크고 거창한 게 아니다. 지금 여기 이 자리에서 소소한 행복을 찾아내어 음미하며 살아야 한다.

지금 내 삶에서 은메달을 받고도 행복을 느끼지 못하고 있는 건 아닌지 한번 돌아보자.

나중에 나는
어떤 후회를 하게 될까?

성경에 달란트의 비유가 있다. 주인에게 각각 1달란트, 2달란트, 5달란트를 받은 하인들이 각자 그 돈을 어떻게 관리하여 나중에 어떤 결과가 나왔는지, 그래서 주인에게 잘했다고 칭찬을 받았는지 못했다고 꾸중을 들었는지에 관한 이야기다. 그중에 주인에게 받은 돈을 잃어버릴까 두려워서 땅에 묻어놨다가 받은 돈 그대로 가져온 하인이 있다. 그는 주인에게 게으르고 무능한 종이라고 호되게 야단을 맞았다. 우리 삶도 마지막에 그렇지 않을까? 내게 주어진 기회나 시간을 허비하지 않고 또 내가 가진 역량을 모두 다 발휘하고 생을 마감한다면 어떤 아쉬움이나 후회도 남지 않을 것 같다.

후회를 하는 데는 두 가지 유형이 있다. 1주일이나 한 달, 1년 이런 식으로 단기간을 회상할 때는 '내가 그 일을 왜 했을까?' 하며 자신이 저지른 일에 대해 후회한다. 반면에 몇 십 년이 흐른 후, 죽음을 앞두고 지나온 생을 돌아보는 것과 같이 장기간을 회상할 때는 '그때 그렇게 했어야 했는데…' 하면서 자신이 하지 않은 일에 대한 후회를 한다.

사회심리학 수업시간에 이 내용을 듣는 순간 번개에 맞은 것처럼 강렬하게 마음에 꽂혔다. 그리고 먼 나중에 후회하지 않기 위해 마음속에서 하고 싶은 일이 떠오르면 되도록 하려는 쪽으로 결정하고 있다. 좀 무모한 도전인 것 같아도, 낯선 길에 대한 두려움이 있더라도 '나중에 후회하지 않으려면' 하면서 용기를 낸다.

이 맥락에서 나는 태어나고 자란 고향을 떠나 낯선 도시로 이사를 왔다. 옮겨온 새로운 도시는 익명의 이방인 입장에서 자유로웠지만 한편으론 가슴 시린 외로움과 맞서야 했다. 그걸 계기로 어린 나이에 타국에서 생활했던 아들의 막막하고 쓸쓸했을 심정을 깊이 이해하게 되었고, 엄마로서 그 당시에 미처 헤아려주지 못했던 게 참 미안하고 안쓰러웠다. 가끔 정겨운 사람이 그립고 마음이 쓸쓸해질 때는 이사 온 것에 대해 후회를 한 적도 있었지만 그건 단기간에 대한 후회일 뿐이다. 이제는 외로움에도 어느 정도 익숙해져 타향을 삶의 터전으로 삼아 뿌리내리고 잘 지내고 있다.

만일 이사를 오지 않고 계속 한 도시에서만 살았더라면 따뜻하고 정겨운 고향이라는 단어가 내 삶에서 실감나지 않았을 것이다. 여러 가지 일을 일단 저지르며 살다 보니 어떤 일이든 동전의 앞뒷면처럼 양면성이 있음을 알게 되었다. 나를 구속하는 답답한 곳인 줄 알고 떠나왔는데, 정겹고 안정감을 함께 주었던 곳임을 알게 되었고, 홀가분한 익명의 자유가 있는 곳인 줄 알았는데 외로움과 고립감도 함께 안고 있는 곳임을 알게 되었다. 잃는 것이 있으면 거기에서 깨닫는 지혜도 있으며 비슷한 일을 겪은 사람에 대한 연민을 갖게 되고, 얻은 게 있으면 반대로 그만큼 치러야 할

대가가 있다.

앞으로도 가슴이 원하는 일이 떠오를 때, 그것이 남에게 피해를 주는 일이 아니라면 어떤 일이든 시도하고 어디든지 가보고 싶다. 오늘 이 시간 이런저런 이유로 무언가를 미루고 포기한다면 미래의 언젠가는 바로 오늘의 이 결정을 후회하게 될지도 모르니까. 어차피 내 인생은 그때그때 선택의 연속이고, 그 선택의 결과를 나 스스로 책임지면 된다.

세상에 태어난 이상 우리는 누구나 '죽음'을 맞는다. 그 순간을 어떻게 맞이하는가는 전적으로 자신에게 달려있다. 그 순간이 왔을 때 "처음 이곳에 왔을 때보다 훨씬 더 성숙해진 영혼이 되어 돌아갑니다." 이렇게 말할 수 있다면, 또 자신이 떠난 후 남겨진 지인들이 "그분이 세상에 있어서 더 따뜻했어요."라고 회상해준다면 얼마나 멋지겠는가.

함께 생각해봅시다.

1. 나의 생애 곡선 그리기, 내 인생의 터닝 포인트 생각해보기
2. 남은 인생각본 써보기

소통으로 쓰는 성심리학

초판 1쇄 인쇄일 | 2020년 10월 13일
초판 1쇄 발행일 | 2020년 10월 20일

지은이 | 임정란
펴낸곳 | 북마크
펴낸이 | 정기국
편집총괄 | 이헌건
디자인 | 구정남
관리 | 안영미

주소 | 서울특별시 동대문구 왕산로23길 17(제기동) 중앙빌딩 305호
전화 | (02) 325-3691
팩스 | (02) 335-3691
홈페이지 | www.bmark.co.kr
등록 | 제 303-2005-34호(2005.8.30)

ISBN | 979-11-85846-90-3 13510
값 | 15,000원